KB103272

비밀의 책

호라티오 W. 드레서

A Book of Secrets

with Studies in the Art of Self-Control

Horatio W. Dresser

비밀의 책

발 행 | 2024년 7월 18일
저 자 | 호라티오 드레서 Horatio W. Dresser / 김어진 옮김
펴낸이 | 한건희
펴낸곳 | 주식회사 부크크
출판사등록 | 2014.07.15.(제2014-16호)
주 소 | 서울특별시 금천구 가산디지털1로 119 SK트윈타워 A동 305호
전 화 | 1670-8316
이메일 | info@bookk.co.kr

ISBN | 979-11-410-9593-2

www.bookk.co.kr

목차

저자 소개

호라티오 윌리스 드레서 (Horatio Willis Dresser, 1866년 1월 15일 - 1954년 3월 30일)는 미국의 신사고 운동의 지도자이자 작가. 1919년에 뉴 예루살렘 교회 총회의 목사가 되었고 메인 주 포틀랜드에 있는 스웨덴 보르지안 교회에서 봉사하기도 했다. 그는 신사고 운동에 대한 글 외에도 파인즈 파크허스트 퀼비의 엄선된 논문 두 권을 편집한 것으로 유명하다. 저서로는 "신사고 운동의 역사", "영적 건강과 힐링", "침묵의 힘" 등 다수가 있다. 그의 철학은 인간의 영적 성장과 개인의 내면적인 가치를 강조한다.

1장.

성공의 비밀

누구나 성공하고 싶어 합니다. 왜 그런지, 어느 정도까지 성공하고 싶은지 알지 못할 수도 있습니다. 그러나 권력에 대한 사랑은 타고난 것이며, 사회의 가장 낮은 구성원조차도 적어도 자기 이익의 이상을 실현하기 위해 정의되지 않은 불안과 반쯤 의식적인 야망에 의해 자극을 받습니다.

인간은 모방하는 존재이기 때문에 성공 자체가 강력한 동기 부여가 됩니다. 그러나 관찰자의 관점에서 보면 성공으로부터 많은 것을 배울 수 있습니다. 세상이 칭찬하는 것을 현명한 사람은 비판할 수 있습니다. 한 사람이 성공이라고 생각하는 것이 다른 사람에게는 실패로 여겨질 수도 있습니다. 비밀을 찾기 전에 우리는 이 원칙이 모든 경우에 적용된다는 점에 동의해야 합니다.

아마도 그것에 대해 생각하는 모든 사람은 성공이 그

자체로 나타나는 정도까지만 인간 노력의 왕관이 된다는 것을 알게 될 것입니다. 반쯤 완성된 일, 적당한 힘의 과시만 불러일으킨 행위는 성공이라고 할 수 없습니다. 성공적인 사업에서 사람은 자신이 할 수 있는 한 높이 올라갑니다. 결과적으로 성공적인 작품은 많은 목적을 달성합니다. 독창성을 발휘할 수 있습니다. 인류에게 유익합니다. 물질적 보상을 가져다줍니다. 예술 작품입니다. 윤리적입니다. 제작이 즐겁습니다. 우리의 작업에 이러한 필수 요소 중 하나라도 빠져 있다면, 우리는 부족하다고 느낍니다. 그러므로 성공은 다방면에 걸쳐 있으며 아름답습니다. 그것은 신의 질서처럼 유기적입니다.

사람은 돈을 벌고 많은 돈을 축적하는 데 모든 목적을 세울 수 있습니다. 사업가들은 그것을 성공이라고 부릅니다. 그런데 그 사람의 삶은 잘되고 있는 걸까요? 그는 의심스러운 수단을 사용했을 가능성이 있으며 밤낮으로 노력했고 수많은 이들의 희생과 억압을 통해 부를 이루었을지도 모릅니다. 따라서 그의 작품은 본질적으로나 외적으로나 조화가 부족합니다. 그것은 막대한 비용과 희생으로 이루어졌습니다. 반면에 어떤 사람의 작품이 건전하고 아름답고 그 안에서 그 사람이 진정으로 자신을 발견했기 때문에 만들어진 것이라면, 비록 그런 목적으로 만들어진 것이 아니더라도 그것은 아마도 그에게 금전적 수익을 가져다줄 것입니다. 조화의 법칙, 서로 다른 목적 사이의 균형의 법칙을 준수함으로써 이차적 이상은 특별히 노력하지 않고도 실현됩니다. 그리고 인간이 윤리적이며 영적인 존재라면 돈을 버는 것은 항상 부차적인 목적이 되어야 합니다.

또한 성공은 대칭적이기 때문에, 모든 것을 개인적인 목적에 맞게 바꾸려고 할 때 뒤따르는 고통스러운 반응으로부터 자유롭습니다. 예를 들어, 부도덕한 재정적 방법을 사용하는 사람은 즉시 처벌받지 않을 수 있지만 모든 비윤리적인 행동은 반드시 시정되어야 합니다. 사람을 평화롭게 쉬게 할 수 있는 유일한 성공은 첫째, 그의 영혼과 마음과 양심을 반영하는 행동이며, 둘째, 모든 세부적인 면에서 진실한 행동입니다.

그렇다면 성공이 주로 도덕적이고 영적이며 비례의 법칙에 의해 지배된다면, 사람은 성공하기 위해 자신을 다각적으로 알아야 합니다. 성공의 본질은 내적으로는 높은 이상, 자기 지식, 자제력, 자기 수양이며, 외적으로는 사회에 대한 윤리적 인식으로 단련된 자아실현입니다.

행동이 상업주의에 종속되거나 큰 부를 소유한 사람은

성공의 길에 들어섰을지 모르지만, 인간으로서 진정으로 성공했다고 할 수는 없습니다. 다시 말하지만, 인간으로서 성공하지 않는 한, 그의 일은 결코 진정으로 성공했다고 할 수 없습니다.

아무리 독립적인 사람이라도, 모든 사람의 성공에는 다른 사람의 복지가 필수적입니다. 수천 명의 사람들이 절실히 필요로 하는 동안에는 어떤 백만장자는 성공했다고 말할 수 없습니다. 그는 자선단체를 설립하거나 수천 달러를 대학에 기부할 수도 있지만, 그가 속한 사회 유기체가 여전히 그에게 요구하고 있다는 사실을 숨길 수는 없습니다.

사람이 영적인 삶에 더 많은 관심을 가질수록, 그 자체로 가치 있는 것으로 간주되는 물질적 소유에 대한 관심은 줄어든다는 것은 의심할 여지없는 법칙입니다. 그는 유형의 부를 그것이 가져다주는 것을 소중히 여기며, 의심할 여지 없이 엄청난 양의 부를 소유하면서도 여전히 인간적일 수 있습니다. 그는 자연의 세계를 즐기고 물리적 법칙을 준수합니다. 아무리 영적인 사람일지라도, 그의 일은 그를 편안하게 숙식하고 입히고 먹일 수 있을 만큼 충분한 재정적 수익을 가져다줄 것입니다. 그러나 일반적으로 말해서, 그는 부유한 것으로 간주되기에는 물질적인 것에 너무 적은 가치를 부여할 가능성이 있습니다. 돈을 버는 데 소비하기에 인생은 너무 소중합니다. 우리는 성공의 재정적 기준을 모든 참된 사람이 종속된, 세상이 찬사를 보내는 것보다 더 하위 질서로 강등시킬 수도 있습니다.

영적인 성공을 열망하는 사람은 많은 사람에게 실패자로 분류될 것을 예상할 수도 있습니다. 또한 자신을 실용적이지 않다고 비웃는 사람들의 조롱에 맞설 준비도 되어 있어야 합니다.

성공은 지극히 실천적인 것입니다. 영적인 일은 끊임없이 힌트를 주거나 구걸해야 성공할 수 있는 것이 아닙니다. 동정심 많은 친구들이 때때로 돈과 옷을 가지고 구하러 오기 때문에 살아남는다면 그것은 성공이 아닙니다. 때때로 이러한 자선 행위가 영적 법칙이 입증되었다는 증거로 지적되기도 하지만, 그것은 오히려 완전한 실패의 증거일 뿐입니다. 그것은 금욕주의나 광신주의의 확실한 징후일 뿐입니다. 삶에 대한 잘못된 견해는 이러한 가짜 영성에 배신당합니다.

이미 주지하는 바와 같이 어떤 일이 성공하면 세상이 필요로 합니다. 필요하다면 그 일은 지원을 받을 것입니다. 것이 지지되는 정도까지 성공의 필수 요소 중 하나를 충족시키지 못합니다. 맹목적인 낙관주의 때문에 영적으로 발달한 사람들이 자신이 언제 실패했는지 잘 모른다는 것은 한심한 사실입니다. 모든 사업 방법을 "상업적"이라고 비난하면서 정직한 사업가의 기준에 훨씬 못 미치는 수단과 방법에 의존하는 것은 더욱 안타까운 일입니다.

따라서 인간의 다양한 체질에 대한 이해는 성공의 필수조건 중 하나입니다. 또 다른 필수 요소는 자연법칙에 대한 지식입니다. 자연은 왜 성공할까요? 그녀는 근면하고 진화의 가장 사소한 단계라도 서두르거나 회피하지 않으며 최소한의 저항선을 추구하기 때문입니다.

성공한 사람은 생각할 시간을 충분히 갖습니다. 그는 신중하게 땅을 살펴보고 약점과 강점을 찾은 다음 필요한 조건에 맞게 자신을 조정합니다. 그는 인내심이 있고 사려깊으며 침착합니다. 그는 에너지가 넘칩니다. 적절한 때를 기다립니다. 그리고 때가 오면 용감하게 공격합니다. 그는 부분적인 실패의 교훈을 기꺼이 배우고, 솔루션을 발견하면 후회나 약속에 에너지를 낭비하지 않습니다. 그는 행동하는 사람, 기꺼이 일하는 사람, 자신을 믿는 충실한 신자입니다.

그는 한 가지 이상의 일을 추구할 만큼 현명합니다. 일과 여가는 유기적으로 연결되어 있으며, 일은 그의 소명과 균형을 이룹니다. 그는 편파적이지 않으며, 주로 진실을 추구하는 사람입니다. 때때로 대의를 위해 봉사할 수 있지만 이것이 그의 최고 업적은 아닙니다. 그는 검찰관이 아니라 형제입니다.

따라서 성공의 비결에는 우리가 마지막 말을 하기 전에 이 페이지에서 고려해야 할 다른 많은 비결이 포함되어 있습니다. 건강의 기술은 하나이고, 일의 기술은 또 하나이며, 사회적 적응의 기술은 세 번째입니다. 그리고 우리는 성격에 대해 어느 정도 말할 것입니다.

여기 한 사람이 자신의 성공 비결로 드러낸 것이 있습니다. 즉, 그것은 그의 상위 자아의 자발적인 촉구에 충실하는 것입니다. 그 충동은 어떻게든 각각의 하위 필수 요소로 길을 인도했기 때문입니다.

누군가는 평생을 바친 일이라고 말합니다.

다른 사람들은 일에 엄청난 능력이 있다고 말합니다.

따라서 사람은 각자 자신의 방식으로 같은 비밀을 배웁니다. 판단이 빠를수록 성공하기 시작하는 속도는 빨라질 것입니다.

성공을 단언하는 것은 부분적으로 도움이 되지만, 성공으로 가는 왕도는 없습니다. 성공에 대한 공식도 없습니다.

우리를 존재하게 만든 힘은 각자에게 성공의 가능성을 부여하였습니다. 그리고 그것이 외부 세계에서는 부분적인 성공에 불과하더라도, 영혼의 세계에서는 완전할 것입니다.

성공의 비결은 결국 영에 따라 사는 것입니다. 다른 모든 방법은 부분적으로 실패할 수밖에 없습니다. 인간의 다면성은 창조적 삶이 취하는 형태입니다. 이것은 철저히 이해되고 충실하게 개발되어야 합니다. 그러나 이 형태에 생명을 주는 것은 영입니다. 진정한 아름다움은 영혼에 있으며, 소위 모든 성공이 교육적 가치가 있지만 결국 성공하는 것은 오직 영혼뿐입니다.

2장.

진화의 비밀

시대의 위대한 교훈 중 하나는 우리가 성공의 형태로

발견한 이 다방면의 이상입니다. 그리스인들은 이 대칭 법
칙을 이해하고 아름다움을 실용적인 삶의 이상으로 선택했
을 뿐만 아니라 질서와 아름다움의 관점에서 우주를 묘사했
습니다. 그러나 더 영적인 국가들의 경향은 그에 비해 확실
히 좁았습니다. 인도에서 영적인 사람은 은둔자 또는 수도
사가 되었습니다. 유럽의 중세 시대 내내, 금욕적인 삶은
영적으로 기울어 진 사람들 사이에서 널리 퍼졌습니다. 육
체는 멸시되었고 문화는 망각에 빠지도록 허용되었으며,
마침내 그리스 이상으로의 복귀를 통해 개혁을 가져온 것은
르네상스 지도자들의 단호한 노력뿐이었습니다.

시대를 막론하고, 가장 고결한 기독교인들은 일방적인
경향을 보였습니다. 영적 세계에 대한 지나친 사색, 자기희

생적 삶에 대한 전적인 헌신은 이러한 결과를 초래하는 경향이 있습니다.

어떤 관점에서 볼 때 자기희생적인 기독교인만큼 고귀한 직업은 없습니다. 나는 이 이상을 한순간도 과소평가하지 않습니다. 그러나 세상은 점차 이 극단적인 입장에서 점차 반응하여 오늘날에는 극소수만이 엄격하게 금욕적인 삶을 옹호합니다.

더욱이 그리스 정신은 너무나 끈질기게 그리스도인의 삶에 침투하였기에, 우리는 더 이상 우리 자신을 단순한 기독교인이라고 부를 수 없습니다. 우리는 그리스인의 삶을 기독교 정신에 동화시키고 있습니다.

그리스의 이상은 자아실현, 즉 우리가 가진 모든 능력과 힘의 대칭적인 발전이었습니다. 예수님이 말씀하신 기독교적 이상은 사랑, 겸손, 섬김이었습니다. 그리고 우리는 궁극적으로 개성과 봉사 사이에는 충돌이 없다는 것을 배우고 있습니다. 육체를 훼손하거나 예술적 충동을 억제할 필요가 없습니다. 우리가 더 폭넓게 수양할수록, 더 숙련되고 아름다울수록 우리는 더 진정으로 봉사할 수 있습니다.

자연도 같은 교훈을 가르쳐 줍니다. 자연은 지나침을 알지 못합니다. 그녀는 자신의 산출물이 예술적으로 완성될 때까지 느리고 쉬운 단계로 진행합니다. 그녀는 유기체이며, 그녀의 모든 산출물도 유기체입니다. 그 자체로 완전한 것은 없습니다. 모든 것은 봉사해야 합니다. 그리고 이러한 봉사와 협력의 위대한 결과는 동시에 그리스적이면서도 기독교적이며, 아름다움과 사랑의 이상을 충족시킵니다.

따라서 모든 진화적 발전의 이상은 대칭입니다. 우리의 존재는 신체, 이성, 양심, 사회적 본능, 예배의 감정으로 구성되며, 이성은 우리가 이 모든 것에 충분한 시간과 생각을 할애해야 한다는 것을 보장합니다. 우리는 육체적 운동을 해야 하고, 지성에 영양을 공급해야 하며, 도덕적이어야 하고, 애정을 표현하고, 동료에게 봉사하고, 종교적 정신을 드러내야 합니다. 이 모든 것에 신경을 쓴다면 우리 삶은 건전하고, 아름답고, 진실하고, 고귀한 삶이 될 것입니다.

반대로 우리가 고통 받고, 괴롭고, 비참하고, 불행하다면 우리는 과잉의 죄를 짓고 있다는 것을 알 수 있습니다. 질병은 과잉입니다. 고통은 과잉의 표현입니다. 그 치료법은 침착함, 절제, 평정심입니다. 결과적으로 모든 결함에 대한 치료법은 아름다움, 비율, 유기적 조정입니다.

먼저 자신을 둥글게 생각하고, 자신의 필요와 성향을 발견하세요.

둘째, 점진적인 진화를 통해 아름다움과 사랑의 이상을 실현하는 자연의 방식을 배우고, 조급함은 추함이라는 것을 기억하면서 자연의 속도에 자신을 맞추세요.

마지막으로, 완성된 이상에 대해 차분하면서도 끈기 있게 생각하면서 마음의 힘을 발휘하세요. 생각에서 자연과 협력하세요. 자연이 당신을 통해 이루고자 하는 모든 것에 철학적으로 자신을 조정하세요. 그리하면 모든 인간 경험이 가르치도록 고안된 조화로운 교훈을 배울 수 있습니다. 그리하여 육체의 병과 고통, 생각과 행동의 추함, 그리고 이전에는 끊임없이 과잉으로 이어진 무질서한 경향을 점진적으로 극복할 것입니다.

3장.

조정의 비밀

소크라테스는 자신의 임무는 성장하는 정신이 자기 생

각을 표현할 수 있도록 돕는 것이라고 선언했습니다. 그는
능숙한 질문을 통해 먼저 제자의 관점을 파악한 다음, 똑같
이 능숙한 반론을 제기함으로써 젊은 정신이 스스로를 방어
하고 그 메시지를 온전히 전달하도록 강요했습니다. 그리하
여 현재 우리가 신교육이라고 부르는 방법의 자부심이 된
이 방법이 그리스인들 사이에서 완전히 탄생했습니다. 그리
고 헨리 워드 비처(Henry Ward Beecher)가 다음과 같은
말로 요약한 철학이 윤곽을 드러냈습니다. "하나님이 가시
는 길을 찾아서 그 길로 가라." 우리 시대 최고의 사상가들
은 이 철학을 삶과의 모든 관계에서 지혜의 본질로 인정합
니다.

　우주에 대한 근본적인 사실은 신이 우주에 상주하며, 진

화를 진행한다는 것입니다. 인간의 삶과 관련하여 근본적인 사실은 영혼이 그 안에 내재되어 있으며 표현을 요구한다는 것입니다.

모든 철학적, 실천적 노력은 신과 영혼이 나올 수 있는 조건이 부차적으로 중요하다는 사실을 고려해야 합니다. 신과 영혼이 우선입니다. 그 조정은 외부적인 과정이나 교육적인 과정의 리듬이 아니라 내면의 힘, 즉 진화에 필수적인 조건을 끌어들이는 생명 안의 빠른 힘에 있습니다.

신은 그를 부적절하게 드러낼 수 있는 지나가는 사건이 아니라, 모든 시대에 걸쳐 우주에서 그리고 우주를 통해 만들고 있는 것에 의해 판단되어야 합니다. 영혼은 참된 사람을 잘못 나타낼 수도 있는 이 행위나 저 행위만으로는 진정으로 이해될 수 없으며 동기, 개성의 관점에서 볼 때 그 삶 전체로 이해될 수 있습니다. 영혼은 끊임없이 앞으로 나아가기 때문에 그 외적인 드러남은 항상 불완전할 수밖에 없습니다.

진짜는 사람이 무엇이 될 수 있는가 하는 것입니다. 현실 (The actual)은 겉으로 드러날 뿐이며, 모든 겉모습과 마찬가지로 부분적이고 제한적입니다. 현실은 "완벽한 날아오름"이라는 암시를 통해서만 위대합니다. 현실은 지나가고 잊혀집니다.

영혼이 이루고자 했으나 부분적으로 성취하지 못한 것은 영원히 계속 살아 있습니다. 이상에 비추어 현실을 바라볼 때에만 우리는 진정으로 이상을 창조하는 데 도움을 줄 수 있습니다. 창조는 인위적인 제조가 아니기 때문입니다.

그것은 영이 충만한 생명으로 진화하는 것입니다. 모든 교육 방법은 외부에서 상황을 재배치하려는 한에서 오류를 범합니다. 오직 영혼만이 영혼의 필요를 알고 있으며, 오직 영혼만이 환경을 재조정하는'데 필요한 힘을 공급할 것입니다.

먼저 영의 리듬을 배우십시오. 그러면 육체와 모든 진화의 무수한 리듬을 진정으로 알게 될 것입니다. 영혼의 법칙을 알면 영혼의 객관화 법칙을 이해할 수 있습니다. 어떤 이론가들은 내면의 삶에 지나치게 신경을 쓰면서도 그 측정된 결과를 충분히 고려하지 않는 오류를 범합니다. 다른 사람들은 과정에 너무 몰두하여 그 과정이 나타내는 현실을 잊어버립니다. 조정의 가장 높은 이상은 영혼이 점진적으로 끌어당기는 조건을 고려하면서도 영혼을 기억하는 것입니다.

신과 협력하기 위해서는 신의 이상을 알고 선택해야 합니다.

이것들은 다양하고 다면적입니다. 신은 즐거움만을 위해 만들지 않고 이익을 위해 만들기도 하며, 진리뿐만 아니라 선과 아름다움을 위해 만듭니다. 하나의 이상을 추구하는 것은 마치 삶이 영혼의 도구가 아니라, 단순히 과정으로만 가치 있는 것처럼 불구가 되는 것입니다.

그러므로 조정에는 가장 예리한 분별력이 필요합니다. 사물은 적절한 관계 속에서 제자리에 있을 때 좋은 것입니다. 어떤 능력이나 경향도 그 자체로는 충분하지 않습니다.

가치나 가치의 척도에서 감정이 유기적인 조정을 통해 균형을 이룰 때, 느끼는 것, 깊은 감정에 빠진다는 것은 고귀한 것입니다. 삶은 처음에는 느낌으로, 그다음에는 생각으로, 이제 과학으로, 예술로, 때로는 관조로, 적절한 시기에는 행동으로 이어집니다. 신성한 생명은 신체의 모든 부분을 포함하여 존재의 모든 통로를 통해 흐르고 있으며, 그 어느 것도 소홀히 하지 않는 사람이 현명합니다.

오류는 진리에 대한 열망이며, 그 안에 내재되어 있습니다. 추함은 아름다움을 갈망하고, 악은 선 안에서 완성을 찾습니다. 질병은 대칭의 결여이며, 그 치료는 균형을 달성하는 것입니다.

모든 다양한 성향에서 신성한 삶은 온건하고 리드미컬하며, 성향 사이의 조화는 생명의 교훈입니다. 각 경향은 자신만의 리듬을 가질 수 있지만, 모두 아름다움과 평화, 평온을 위한 움직임의 조화로 특징지어집니다. 따라서 조정의 비밀은 모든 예술의 이상이며, 모든 진정한 예술가는 자기 앞에 펼쳐진 대상의 내재적 경향이나 아름다움을 바탕으로 구축하는 것이 자신의 삶에서 가장 높은 가능성임을 알고 있습니다. 자연이 신의 풍경이듯, 몸은 영혼의 풍경입니다. 위대한 예술가가 캔버스나 대리석에 묘사한 일부 특징을 실제 세계에서 찾아보려고 해도 노력은 헛되고 말 수도 있습니다. 그러나 그는 진실을 보았을 때 작품을 만들었습니다. 당신은 사랑하는 사람의 얼굴을 볼 때 연인의 애정에 대해 놀라워할 수 있습니다. 그러나 영혼의 아름다움과 고귀함을 진정으로 인식하면 더 이상 의문을 품지 않을 것입니다. 따라서 외부 세계에 존재하는 모든 것뿐만 아니라 단순히 오가는 모든 것에 대한 단서는 깊은 내재된 아름다움과 사랑, 진실, 선량함입니다. 이것을 구하면 나머지를 찾을 수 있습니다. 이것들을 구하면 당신의 삶은 신의 전진하는 생명에 대하여 영구적으로 적응하게 될 것입니다.

4장.

사회적 조정

예민하게 조직된 사람들은 잘못을 상기시킬 필요가 거의 없습니다. 그들은 격려가 필요합니다. 비판의 출처와 그것이 정당한 것이든 아니든 간에 비판을 기꺼이 받아들이고 그로부터 이익을 얻는 것은 예술입니다. 성급하고 피상적이며 불친절한 판단을 피하기 위해 비판하는 것도 마찬가지로 어렵습니다.

다투는 데 두 사람이 필요하듯이 화합을 회복하는 데도 두 사람이 필요합니다. 어떤 사람들은 자신이 잘못이 없고, 다툼의 상대방만 변하는 것이 아니라는 사실을 인정하는 것이 거의 불가능합니다. 자신의 몫보다 훨씬 더 많은 것을 인정하더라도 기꺼이 잘못을 고백해야 합니다.

상대방에 대해 비판적인 마음을 품으면 그 사람의 모든 행동이 나쁜 것으로 보입니다. 가족 구성원 중 두 사람이 세 번째 사람의 잘못에 대해 동의하면 후자는 심각한 불이익을 당하게 됩니다. 이러한 경우 보통 잘못이 확대됩니다. 일반적으로 두 사람이 머리를 맞대면 나쁜 바람이 불어옵니다.

화목하지 않은 가정에 새로 온 사람은 어디에 잘못이 있는지 자신이 정확히 알고 있다고 생각하기 쉽습니다. 그는 "울며 겨자먹기로" 사람들과 함께 보낸 이들보다 그들을 더 잘 알고 있다고 생각합니다.

친구와 다툰 후 둘 다 상대방이 먼저 "화해의 손"을 내밀도록 내버려 두고 미루는 경향이 있습니다. 이것은 이기심입니다.

한계를 보자마자 사람을 거부하는 것은 천박한 비판입니다. 비판은 단순히 부정적인 것이 아니라 다방면에 걸친 것이어야 합니다. 올바르게 이해하면, 그것은 감사이지, 결코 잘못을 찾는 것이 아닙니다. 부정적인 비판을 멈추면 사람들은 당신을 더 잘 대할 것입니다.

익숙함은 태만과 무례함을 낳습니다. 형제, 어머니, 아내에게 낯선 사람에게 하는 것처럼 예의 바르게 대하지 않아도 되는 이유가 있을까요?

전체적인 조화가 있어야 전체적인 솔직함이 있을 수 있습니다.

우정에는 성실함이 절대적으로 필요합니다.

가정에 불화가 있으면, 이를 해결하기 위해서는 상호 이해가 있어야 합니다. 사랑이야말로 최고의 치료제입니다. 하지만 더 나은 이해도 필수적입니다.

어떤 사람들은 너무 많이 양보하고 어떤 사람들은 충분히 양보하지 않아서 실수합니다.

압박을 가하지 마세요. 다른 사람이 당신 조언의 지혜를 깨닫지 못한다면 그에게 몸으로 체험할 자유를 허락하세요.

인생은 발전을 의미합니다. 순수한 행복을 기대하지 마십시오. 당신의 영혼을 깨우세요. 동료들이 실현하고자 하는 이상을 기억하고, 그들의 진화의 조잡한 조건에 스트레스를 주지 마세요. 수단보다 목적에 집중하세요. 다른 사람에 대한 당신의 판단은 기껏해야 하나의 관점일 뿐이라는 것을 기억하세요. 당신이 바라보는 것은 다른 사람의 삶입니다. 당신이 실수할 수도 있는 것입니다.

우리 자신이나 다른 사람에게서 결함을 발견할 때, 우리는 그 결함을 과장하는 경향이 있습니다. 마치 인쇄된 페이지의 글자들이 주변 단어들과의 관계에서 벗어나 현미경 아래에서 확대되는 것과 같이 말이죠. 이러한 효과는 종종 원인을 잘못 판단함으로써 더욱 강화됩니다. 때때로 우리는 우리 자신을 비난하고, 종종 통제할 수 없는 상황으로 인한 결함을 탓합니다. 자기 비난과 겉모습에 대한 판단은 종종 우리의 길에 장애물을 세우게 할 수 있으며, 좀 더 신중하게 조사했다면 마음에 관대한 전환을 줄 수 있었을 것입니다.

낯선 사람이 공유할 수 없는 슬픔이나 고민을 겪는 사람은 내성적으로 보일 수 있습니다. 또는 표현하지 못한 감정이 많아 차가워 보일 수도 있습니다. 베풀고 싶은 애정이 컸지만, 주위의 거절과 잘못된 사랑으로 인해 내면으로 침잠해야 했을 수도 있습니다. 어떤 사람은 때때로 필요 이상으로 많은 말을 하는 반면, 어떤 사람은 너무 신중하여 진정한 감정이 미스터리고 남기도 합니다.

한 친구는 자신이 다른 친구를 이해한다고 생각할 수 있지만, 실제로는 진정으로 공감하는 사람에게만 드러나는 꿈도 내면적 경험의 깊이가 있을 수 있습니다. 겉으로는 둔해 보이는 도덕주의자일지라도 여행 이야기나 개인적 경험을 말할 때는 뛰어날 수 있습니다.

친구를 멀어지게 하는 것은 대개 오해나 새로운 경험에 대한 솔직함이 부족하기 때문입니다. 특히 결혼 생활에서는 모든 점에 대해 완전한 상호 이해가 있어야 합니다. 예민한 마음은 쉽게 자기 안으로 닫힐 수 있습니다. 그런 동반자는 즉시 사랑으로 구출해야 합니다.

평등 없이는 진정한 우정이 있을 수 없습니다. 한 사람이 다른 사람보다 훨씬 더 현명하더라도, 정신적으로 평등해야 합니다. 진정한 친구는 충성스럽고, 인내심이 있으며, 결코 까다롭지 않습니다. 진정한 우정에는 항상 상호 존중이 존재하며, 가까운 지인들에게서 나타나는 친밀함은 미개한 사람들에게서 가져올 수 있는 친밀함이 아닙니다.

한 사람이 자신을 과시하여 이익을 얻으려 한다면, 즉시 가면을 내려놓는 것이 가장 좋습니다.

우상 숭배의 거품은 발견되자마자 찔러 버려야 합니다.

진정한 사랑은 결코 "오래된 이야기"가 되지 않습니다.

진정한 자비는 사람을 가리지 않습니다.

"계약 우정"이란 터무니없는 것입니다. "비인격적" 우정도 마찬가지로 부조리합니다. 자발성과 이타심이 진정한 우정의 증거입니다.

다른 사람을 믿지 않는 사람은 먼저 자신을 믿지 않습니다.

세상에는 가끔 친구를 위해 무엇이 최선인지 알고 있다고 가정하는 사람들이 일으키는 문제가 있습니다. 그들은 단호하게 그것을 고수하고, 고집스럽게 다른 사람들에게 자신의 편견을 전달합니다. 구경꾼이 개인의 영혼보다 더 잘 알고 있다고 가정할 권리가 있을까요?

인생의 모든 중요한 문제들, 천직의 선택, 친구의 선택, 남편이나 아내의 선택에 관한 진정한 인도는 우정의 동반자가 될 사람들에게 직접적으로 오지 않습니까? 다른 사람들은 특정한 고려 사항을 지적할 수 있지만, 영혼의 신성한 영역인 고요함과 모든 지배적인 영향에서 벗어난 곳이 아니라면 최종적인 판결이 내려질 수 있는 장소는 어디에 있을까요?

하나님께서 안내 없이 영혼을 버려두신 적이 있습니까?

이기적인 욕망, 개인적 선호, 사회적 및 재정적 고려 사항에 마음이 얼마나 쉽게 속아 넘어갑니까!

"좋은 이점을 얻기 위해 결혼"하려는 시도보다 영적인 법칙에 더 반하는 것이 무엇일까요? 결혼으로 신성한 세계에 침범할 권리가 있는 사람이 있을까요?

신성한 인도에 대한 모든 장애물을 극복하고 모든 인류에게 개인의 자유를 부여하는 것보다 더 중요한 것이 무엇일까요?

관찰, 점성술, 필체분석, 손금, 신비주의 또는 두피학에 근거한 판단이 영혼의 내적 자극과 비교될 수 있을까요? 만약 그 자극이 이러한 이차적 판단과 충돌한다고 가정하면 어떻게 될까요? 영혼의 인도를 받은 사람에게 그것이 무슨 의미가 있을까요? 온 세상이 그를 비난하더라도 그는 그것에 충실해야 하지 않겠습니까? 그의 동기를 이해하지 못해서 일관성이 없다고 친구를 비난하는 것은 얼마나 불충실한 일입니까! 우리는 그의 영혼의 고요함 속에서 무엇이 올 수 있을지 모릅니다.

친구가 자신의 주장과 모순되는 행동을 하더라도 충성스러워야 합니다. 그가 평소와 다른 데에는 그럴 만한 이유가 있을 수 있습니다. 때로는 평판, 사업, 사회적 지위를 위험에 빠뜨릴 수 있지만, 위험을 감수하고서라도 진실을 솔직하게 말해야 하는 상황이 발생할 수 있습니다. 사실에 대한 진술은 비록 그것이 드러내는 진실이 다른 사람을 위선자로 증명하더라도 인신공격이 아닙니다.

조화로운 사회적 상태의 이상은 교향악단의 연주로 설명할 수 있습니다. 각 음악가는 자신의 특별한 영역에서 예술가이면서도 자신의 악기를 전체의 조화에 종속시켜야 합니다. 각자의 역할이 중요하지만 교향곡의 아름다움은 조화, 즉 앙상블에 있습니다. 조화는 유기적이며 상호 의존적이고 기여하는 부분으로 구성되어 공통의 이상을 실현하기 위해 협력합니다.

사람이나 장소가 줄 수 없는 것을 기대하는 것을 멈추는 순간, 우리는 이전에는 보지 못했던 미덕을 발견하기 시작합니다.

침묵해야 할 때가 있고, 다른 사람이 기회를 주면 자유롭게 말하고 가치 있는 조언을 줄 수 있는 때도 있습니다. 그러나 적절한 때가 오기 전까지는, 친구가 마법에 걸려 있다는 것을 알더라도 신뢰하는 것 외에는 할 수 있는 일이 없습니다.

주문에 걸린 친구의 마법을 떨쳐버릴 수 있도록 도와줄 수 있는 이가 진정한 친구입니다. 그러나 피해자가 자신이 피해자라는 사실을 깨닫기 전까지는 모든 탄원은 소용이 없습니다.

한 마음이 다른 마음을 몇 달 동안 지배할 수 있다는 것은 놀랍지만, 정복당한 사람은 자신이 노예라는 사실을 의식하지 못합니다. 주문은 밤이 되면 안개처럼 마음을 훔칩니다. 그것은 육체를 통제하는 영혼이 매체를 통제하는 것처럼 모자처럼 굳어져 복종하는 뇌를 지배합니다. 그것은 남자가 자연스러운 매력이 없는 여자를 사랑한다고 생각하게 만듭니다. 그것은 마음을 약화시키고 몸을 퇴화시킵니다.

더 높은 본성은 한동안 갇혀 있기 때문에 모든 것이 잘못되었다는 것을 알더라도 저항할 수 없습니다.

여성들은 동료 여성들이 그러한 힘을 가지고 있는지 의심합니다. 그러나 남자는 여자를 알아내기 위해 노력해야 합니다. 반대로 여자는 남자는 모르는 남자를 알고 있습니다.

관찰자들이 사랑 관계를 파악했다고 생각하는데, 문제의 남자나 여자가 전혀 모르고 있다면 그것은 단순한 플라톤적 우정일 뿐입니다! 철학적 우정이 얼마나 빨리 개인적인 것으로 변질되는지!

언젠가 이 모든 열망이 멈추고 영적 법칙이 지배할 때가 올까요? 지속적인 철학적 우정이 가능하면 얼마나 좋을까요!

그렇다면 개인적인 감정이 나타날 때 예의를 갖추는 것은 필요하지 않을 것입니다.

힘은 두 사람을 하나로 끌어당기는 깊고 미묘한 것입니다. 자기 분석을 통해 그것을 이해하기를 기대해서는 안 됩니다. 짝사랑의 현상은 분석의 대상입니다. 그러나 사랑은 그런 식으로 오지 않습니다.

의심이 항상 안전한 가이드는 아닙니다. 결혼이라는 큰 질문을 결정했을 때 반대를 불러일으킬 수 있는 모든 것이 흔들리는 것보다 더 자연스러운 것이 무엇일까요? 모든 의심은 사랑과 비교할 때 피상적이고 일시적입니다. 반면에 의심만큼 심오하고, 신뢰할 수 있으며, 의심만큼 끈질긴 생각은 없습니다.

자신이 사랑에 빠졌다고 생각하는 것과 실제로 사랑에 빠진 것 사이에는 엄청난 차이가 있습니다. 기준은 무엇일까요? 자유로운 고독의 침묵 속에서 언제나 개인 영혼의 가장 깊은 속삭임입니다.

우연한 말 한마디가 얼마나 많은 장난을 불러일으키는지 모릅니다! 예를 들어, 젊은 남자와 젊은 여자가 자주 함께 있는 모습을 볼 때, 둘 중 누구도 그런 생각을 해본 적이 없는데도 그 앞에서 결혼에 대한 생각이 들게 하는 발언을 하는 경우가 있습니다. 다시 말하지만, 독이 든 화살처럼 아름다운 우정의 핵심을 찌르는 발언입니다.

선지자는 자기 고향에서 존경받지 못한다는 것은 신비한 사실이며, 자신의 아이디어에서 지혜를 인정하는 이들이 가족이라는 것은 의심의 여지가 없습니다. 그러나 그 이유를 찾는 것은 어렵지 않습니다. 고향 사람들은 선지자를 그의 성장기 때 보았기 때문입니다. 그가 자신의 하찮은 자아를 드러낼 기회가 있다면 그들은 그것을 알고 있었을 것입니다. 그가 무언가를 성취했다는 소문이 외국에서 전해지면 마을 사람들은 이렇게 생각합니다. "왜, 어떻게 그가 그렇게 할 수 있단 말인가? 나는 그를 어렸을 때부터 알고 지냈는데, 그는 이렇게 저렇게 했잖아"라고 말이죠.

따라서 모든 부정적인 특성이 기억됩니다. 다른 사람들이 칭찬하는 것을 가족과 친척은 비난합니다. 선지자가 돌아와서 개혁을 시도한다면, 그는 건방진 것으로 여겨집니다. 진리의 대의를 위해 수고한다면, 그는 자신이 속한 교회나 사회를 지지하지 않는다는 이유로 비난받습니다. 심지어 결혼을 했어도 타락한 것으로 여겨집니다.

그러나 동료들은 다른 주에서 온 사람 중에 절반도 모르는 사람의 이야기를 듣기 위해 몰려들 것입니다. 이 수입된 선지자에 대한 이야기를 할 수 있는 사람들도 있지만, 다행히도 이 남자의 헛소문은 집에 남아 있습니다. 그래서 오해받는 선지자가 그를 믿는 사람들이 있는 곳으로 가는 것은 놀랄 일이 아닙니다. 그러나 친숙함이 경멸을 낳아야 할 이유가 있습니까?

최근 한 기혼 남성이, 아내가 결혼 전 7년 전처럼 자신을 이상화하면 기쁠 것이라고 말했습니다.

그때 그녀는 이상만을 보았지만, 이제는 그 이상에 대한 부정적인 단계까지 보게 되었습니다. 결혼 전에는 아내의 이상주의가 엄청난 동기가 되었지만, 이제는 아내의 비판이 너무 무거워져서 남편은 다른 곳에서 격려를 찾아야만 했습니다. 따라서 남편과 아내는 종종 같은 이유로 자신의 나라에서 선지자만큼 존경받지 못한다는 것은 안타까운 사실입니다.

남편은 아내가 추천한 책이기 때문에 읽지 않고 지나칩니다. 그러나 외부인이 그 책에 대해 얘기하면 뭔가 가치가 있을 것이라고 생각합니다. 아내는 어려운 문제에 대한 조언이 필요할 때 낯선 사람에게 조언을 구합니다. 그리고 새로운 지혜를 얻어 집으로 돌아갑니다.

그러나 남편은 오래전부터 그 지혜를 가지고 있었고, 여러 차례 표현했습니다. 부모는 오래 전부터 찾던 지식이어도 아이가 제시한 것이라면, 잠시도 고려하지 않고 무시해 버립니다. 형제나 자매는 마침내 낯선 사람이 똑같은 귀중한 교리를 전하고 그것을 믿을 때까지 수년 동안 형제나 자매의 새로운 아이디어를 경멸할 것입니다.

그러나 감각이 있다면 가까운 거리에서 사람을 보는 사람보다 천재성을 평가하는 데 더 좋은 위치에 있는 사람은 없습니다. 모든 문제는 진정한 이상주의를 소홀히 하는 데 있습니다. 손실은 언제나 비난하는 사람의 편에 있습니다. 선지자는 집에서 비난받더라고 번영합니다.

흔들리지 않는 자기 신뢰를 가지지 않는 한 선지자가 될 수 없습니다. 오해받는 것은 부담스럽지만, 시간이 지나면 감사하는 마음이 생기고 역경에 대항하는 능력을 배우게 됩니다. 에머슨은 이 모든 것을 알아차리고 이렇게 말했습니다. "비난은 칭찬보다 안전하다." "위대해진다는 것은 오해를 받는 것이다."

사람이 무지에서 지식으로 나아갈 때, 그는 과거의 판단이 자신의 발전 상태에 따라 좌우되었다는 것을 깨닫게 됩니다. 다른 사람이 똑같은 편견을 가진 발언을 하는 것을 들으면, 그 이유를 알게 됩니다. 사려 깊은 사람은 정죄하지 않습니다. 왜냐하면 사람의 판단은 지식과 경험에 의해 제한된다는 것을 알기 때문입니다.

이것이 관용의 기초입니다.

가만히 생각해보면 우리의 지식은 우리가 읽고, 보고, 경험한 것에 크게 좌우된다는 것을 알 수 있습니다. 우리의 범위가 제한되어 있으면 우리의 지식도 얕아집니다. 뉴잉글

랜드 사람이 생각하는 것과 터키 사람이 생각하는 것은 서로 다를 수 있습니다. 왜냐하면 조건이 다르기 때문입니다. 따라서 관습, 철학, 종교 및 실용적인 방법이 다릅니다. 이렇게해서 개별성이 육성됩니다.

문제는 내 방식이나 생각이 너의 것보다 낫다는 가정에서 시작됩니다. 문제는 가정에서 시작됩니다. 그것은 종교계에서 번성합니다. 정치 영역에서도 만연합니다. 우리의 방식이 이웃의 방식이 되어야 한다고 고집할 때 그것은 폭정이 됩니다.

잠시 이 생각을 집으로 가져가서, 하루에 몇 번이나 자신의 판단이 옳고 자신의 방법이 옳다고 주장하는지 생각해보세요. 당신의 생각은 당신의 관점일 뿐이며, 신성한 권위를 주장하더라도 그것은 개인적인 의견에 불과하다는 것을 기억하지 못합니다. 당신의 방식이 다른 사람에게는 지혜롭지 않을 수 있다는 사실을 잊지 마세요. 당신은 다른 사람들이 당신의 판단을 건전한 것으로 받아들여야 한다고 주장합니다. 다른 사람들은 의견을 가질 수 있지만, 당신의 말은 법이 됩니다.

가정 내 불화를 일으키는 대부분의 조바심은 다른 사람들이 자신만의 방식으로 삶을 해결하도록 내버려 두지 않으려

45

는 마음에서 비롯됩니다. 우리는 다른 사람들이 우리의 진리를 받아들여야 한다고 주장합니다. 진리는 개인적인 경험에 의해 증명될 때에만 진리라는 사실을 잊어버리고 지금 당장 받아들일 것을 요구합니다. 또한 생각과 삶의 차이가 우리의 사회생활을 즐겁게 만드는 다양성의 주요 원천이라는 사실을 잊어버립니다. 깊은 진실에서는, 어떤 사람도 다른 사람을 대신해 볼 수 없다는 것입니다.

5장.

시대의 비밀

이 놀라운 전환기에 위대한 계시의 빛이 우리에게 비추고 있습니다. 어떤 경계도 영적 세계를 가로막지 못한다는 숭고한 사실에 대한 지식으로 남녀노소 모두가 깨어나고 있습니다. 우리 주변에는 위대한 영적 영역과 초월적으로 아름다운 현존이 있으며, 거기에서 모든 생명, 모든 지혜, 모든 사랑과 힘이 나옵니다. 죽음처럼 보이는 것은 새로운 탄생일 뿐입니다. 육신의 감옥처럼 보이는 것은 깊은 진실에서는 아무런 장애물이 없습니다. 그 환경 영역과 그 지속적인 현존에 대한 자각을 깨운 사람은 한 마을에서 다른 마을로 여행하는 것처럼 삶의 한 차원에서 다른 차원으로 넘어갑니다. 그리고 아직 육신에 있는 모든 사람은 마찬가지로 세계들의 세계, 모든 현실의 실재와 교감할 수 있습니다.

19세기 전에 지상에 잠시 거하셨던 그는 사람들에게 무엇보다도 그 왕국을 구하고, 왕국의 율법에 충실하며, 왕국의 의를 행하고, 왕국의 사랑을 알리라고 권하셨습니다. 우리가 지금 그를 볼 수 있고 그의 영광스러운 업적 범위를 알 수 있다면, 우리는 한때 그를 위해 모든 것을 버리고 떠난 이들 수의 수천 배를 찾아야 하며, 수많은 존재의 사랑과 순결로 고양되어야 하며, 모든 가장 쉬운 도움과 가장 진심 어린 동정을 받아야 합니다.

하지만 우리는 육신에서 자유로워지기를 기다릴 필요가 없습니다. 더 큰 승리는 지금 영적인 삶을 사는 것입니다. 그리고 우리는 성화(聖化)된 영혼의 우주적 형제단인 그리스도의 위대한 세계에 우리 의식을 자신 있게 열 수 있으며, 그들의 우애가 우리 모두를 지켜줄 것임을 알 수 있습니다. 이것은 우리 시대의 위대한 계시입니다. 이것은 한 세기가 다른 세기에 주는 위대한 선물입니다. 그리고 정말로 최고의 시대를 알고 싶다면, 그리스도의 이상을 실현하기 위해 앞으로 나아가는 내면의 창조적 현존의 맥박을 느낄 수 있도록 기도하는 마음으로 영혼을 여세요.

오늘날 사람들의 마음과 정신에 새로운 삶이 꿈틀거리고 있습니다.

그것은 그리스도에 대한 새로운 비전입니다.

수 세기 동안 예수님의 죽음이 강조되어 왔습니다. 하지만 오늘날 중요한 것은 그가 살았던 인생입니다. 오랜 시간 동안 사람들은 자신의 영혼을 구원하기 위해 노력해 왔습니다. 그러나 오늘날의 모토는 인류의 발전을 위한 끊임없는 봉사와 노동입니다.

옛날 사람들은 지옥에 대한 두려움에 겁을 먹고 사탄의 유혹에 대해 경고 받았습니다. 이제 그들은 지상 천국의 영광스러운 가능성에 영감을 받고 있으며, 사탄은 인간의 이기심임이 밝혀졌습니다.

옛날에는 교리, 신조, 의식이 강조되었습니다. 이제 복음 이야기에 대한 관심이 다시 높아지는 이 놀라운 시대에는 예수님의 영적 단순함이 강조되고 있습니다.

따라서 변화는 계속되고 있으며, 그 변화가 얼마나 멀리 갈지 또는 얼마나 빨리 마음이 강퍅하고 지적으로 차가운 사람들에게 도달할지 알 수 있는 사람은 거의 없습니다.

단순한 자유주의의 시대는 지나갔습니다. 자유주의자들이 40년 동안 자유주의적 견해를 견지해 왔다고 해서 더 이상 사랑의 잔치를 벌이고 서로를 축하하는 것은 더 이상 필요하지 않습니다. 오늘날의 외침은 "보라, 우리가 얼마나 진보했는가!"가 아니라 "보라, 수확은 풍부하니까 순전한 자유주의 시대엔 시간 낭비할 여유 없다. 자유주의자들도 봉사하기 시작하지 않으면 곧 보수주의자가 될 것이다."라고 외쳐야 합니다.

우리 시대의 위대한 운동은 가난한 자, 억압받는 자, 고통받는 자의 구원을 전하는 사회적 그리스도, 형제이신 그리스도로 돌아가는 것입니다. 얼마나 많은 사람들이 이 인간적인 손길, 이 새롭고 실제적인 그리스도를 느꼈는지 보는 것은 정말로 놀라운 일입니다.

비판적인 구경꾼들은 이 사람들이 "정통주의로 돌아갔다"고 선언합니다. 사실 그들은 영으로 돌아간 것입니다. 그들은 차가운 형이상학에 지쳤습니다. 그들의 마음은 다시 한번 따뜻해졌습니다. 인류를 돕고 싶은 깊은 열망을 가지게 되었습니다. 초자연적인 신학 대신에 인간적인 종교가 자리 잡았습니다.

사회적 접촉을 느끼는 순간, 사소한 문제에 너무 많은 시간을 보낸 자신에게 어떻게 했을까 의문이 듭니다.

언젠가는 예수님처럼 인류를 위해 살지 않는 한, 아무도 그리스도인이라고 불릴 수 없을 날이 올 것입니다. 예수님은 무엇보다도 동정심과 사랑의 사람이었습니다. 그는 어떤 도움 요청에도 자유롭고 즉각적으로 응답했으며, 가장 가까운 기회들을 놓치지 않았습니다. 그는 과학적으로 조사하는 것을 멈추지 않았습니다. 논쟁도 멈추지 않았습니다. 그는 행동에 옮겼습니다. 그는 자신을 완전하고 자유롭게 바쳤습니다.

살아있는 그리스도의 비전이 오기까지 많은 사람들이 겪게 되는 주기가 있습니다. 처음에 그들은 정통 교회 회원입니다. 자유주의적 사고를 촉진하는 어떤 사건이 발생합니다. 의심이 두껍고 빠르게 뒤따릅니다.

자유에 대한 깨달음과 교리와 신조가 어려운 과제였다는 것을 깨닫게 됩니다. 교회로부터의 이탈이 뒤따르고, 위대한 자유세계의 분위기는 너무도 유쾌해서 한동안 교회는 가장 우울한 감옥처럼 느껴집니다. 사제들을 비난할 만큼 강력한 단어를 찾을 수 없습니다. 종교적인 모든 것에 대한 경외심 상실과 암울한 불가지론이 뒤따릅니다. 이 기간은 영혼이 다시 영적 양식을 갈망할 때까지 지속됩니다.

그런 다음 점진적인 반응이 시작됩니다. 경외심과 경배의 정서가 돌아오고 신약성경이 새로운 의미로 읽혀집니다. 마침내 반응이 완성됩니다. 교회는 다시 익숙한 자리를 차지하지만, 신조가 아닌 영적 이상으로 존경받습니다. 새로운 자유는 유지되지만, 교리와 의식이 버려졌을 때 서둘러 버려진 모든 것이 섞여 있습니다. 가장 고귀하고 아름다운 모든 것, 교회에서 가장 성스러운 모든 것이 이제 그 진정한 자리를 차지합니다. 방황의 시대가 지나간 것에 대해 큰 기쁨이 있습니다.

신앙의 귀환과 함께 구체적이고 실용적인 것을 향한 강한 경향이 있습니다. 사람들을 교회 밖으로 내몬 것은 낡은 추상적 신학이었습니다. 그들은 의심의 시기 내내 마음속으로 그리스도인의 삶을 진정으로 사랑했습니다. 그들에게 필요했던 것은 이러한 신앙을 보완할 수 있는 실용적인 교리였습니다. 우리 시대는 사회적이며 동시에 실용적입니다.

위대한 계시는 영적인 것에서 실용적인 것을, 종교적인 것에서 사회적인 것을 발견한 것입니다.

그것은 사회적 분배와 마찬가지로 진정으로 개인에 대한 새로운 계시입니다.

한때는 제도, 신조 또는 책에 국한되었던 것이 이제는 모든 개인의 소유, 즉 내면에 있는 하나님의 계시로 선포되고 있습니다.

따라서 이 새로운 시대는 영적 신앙이 새로워지고 영적

세계를 인식하는 시대인 동시에 민주주의의 시대이기도 합니다.

한때 천국은 선택받은 자들의 최종 거처로 여겨졌습니다.

이제 우리는 천국이 민주주의이며 사람들을 위한 우주라는 것을 알고 있습니다.

한때 하나님은 은둔의 왕좌에서 창조적인 명령을 내리는 귀족으로 여겨졌습니다. 하지만 이제 우리는 진정한 아버지가 백성의 아버지이며, 창조는 점진적으로 이루어지며 백성의 해방으로만 끝난다는 것을 알고 있습니다.

사제나 교황이 하느님의 대리자라고 여겨지던 시절이 있었습니다. 하지만 이제 모든 사람이 아버지께 접근할 수 있습니다.

"왕실의 피" 때문에 자신을 백성의 통치자라고 여기는 사람들의 화려함과 위엄이 얼마나 우스꽝스러운가! 통치자? 이 계몽된 시대에 누가 감히 왕과 왕비를 말할 수 있습니까?

통치자는 백성입니다. 그들은 특정 사람들에게 한 시즌 동안 통치하는 것처럼 보이는 기쁨을 허용합니다. 그러나 그들이 얼마나 쉽게 권위를 가진 통치자들의 손에서 홀을 빼앗을 수 있습니까!

영감을 얻기 위해 예술가나 작가를 만나면 이 민주적인 아이디어를 그려보라고 제안하세요. 새롭고 가치 있는 기계를 만든 발명가를 만나면 그 기계로 돈을 벌려는 유혹을 경계하고 사람들에게 헌납하라고 말하세요.

땅은 사람들을 위한 것이며, 맑고 깨끗한 자연의 풍경입니다. 그러므로 사람들이 땅에서 일하도록 독려하십시오. 사람들이 대도시가 아닌 작은 마을과 시골에 머물도록 모든 노력을 기울이십시오. 자연을 민주주의의 고향으로 만듭시다. 민주주의의 이상을 모든 사상과 영역에 전달하고 모든 행동 영역에서 실현합시다.

연단에서 내려와 사람들 가운데서 사람이 되십시오. 블라인드를 열고 조금만 따뜻하면 됩니다. 지금은 민주주의의 시대이며, 우리의 사회적 형제로서 예수님을 믿는 믿음을 되찾는 시대입니다.

6장.

기독교의 비밀

최근까지 기독교에서 지속적으로 간과되어 온 한 단계가 있는데, 바로 예수의 가르침을 건강에 적용하는 것입니다. 예수님이 행하신 치유는 초자연적인 것이므로 기적의 시대는 지났다는 교리 때문에 이러한 간과가 상당 부분 이루어졌습니다. 이 도그마가 폐기되는 순간, 모든 사람들은 질병의 치유가 예수 사역의 두드러진 특징이었음을 인정해야 합니다. 건강의 복음과 구원의 복음의 관계를 연구하지 않고서는 기독교의 이상을 온전히 이해하거나 충실할 수 없다는 사실을 깨닫게 됩니다. 예수님과 함께 이 두 가지 복음이 하나였다는 것, 이것이 그의 성공 비결 중 하나였다는 것을 편견 없는 마음으로 증명하는 데는 어떤 논쟁도 필요하지 않습니다. 예수님은 슬픔, 문제, 질병, 죄 등 어떤 종류의 것이든 광야에서 길을 잃은 사람들을 찾고 그들을 거듭나게 하기 위해 오셨습니다.

예수님은 이 모든 조건에 대한 권능을 가지고 계셨으며, 예수님을 진정으로 따르는 것은 예수님처럼 기독교 정신을 광범위하게 적용하는 것입니다.

예수님께서 질병과 죄에 대해 동의어로 말씀하신 것이 눈에 띕니다. 이러한 구분의 근거는 무엇일까요?

죄는 개인에게서 비롯된다는 것은 누구나 인정하지만, 질병은 대개 외부에서 유래하는 것으로 여겨집니다. 예수님의 가르침에 내포된 질병 이론이 사실이라면, 질병은 죄와 마찬가지로 신성한 법에 대한 불충실입니다. 외부 조건이 무엇이든 질병은 주로 내면에서 비롯된 잘못된 행동 때문입니다.

예수님은 안에서 나오는 것이 사람을 더럽힌다고 단호하게 선언합니다.

화를 내고 정욕적인 생각을 품는 것조차도 실제 악행과 동등한 것으로 간주됩니다. 예수님의 가르침 전체에 걸쳐 인간의 잘못된 삶뿐만 아니라 그를 정화하는 재생하는 생각의 근원으로서의 내면세계에 대한 언급이 있습니다.

그에게 건강은 온전함입니다. 그는 자신이 치유한 사람이 온전해졌다고 자주 선언합니다. 온전한 사람은 마음과 몸이 모두 건전합니다. 그의 내면의 삶은 아름답고 그의 외적인 삶은 그것과 일치합니다. 도덕적으로 건강하지 않은 사람은 완전한 건강 상태에 있지 않으며, 건강하지 않은 사람도 모든 면에서 도덕적으로 정직하지 않습니다. 도덕 법칙은 전체 우주의 법칙이며 모든 것에 적용되며 순결의 법칙이기 때문입니다. 병에 걸리려면 사람은 어느 정도 불결해야 합니다. 온전하다는 것은 모든 것이 깨끗하고 아름답다는 것입니다.

무엇이 인간을 온전하게 만들까요? 예수님은 이를 위한 수단을 두 가지 형태로 말씀하셨습니다. 죄에서 자유로워지거나 믿음을 통해 하나님의 능력과 연합하는 것입니다. "너의 믿음이 너를 온전하게 했다"는 말이 반복해서 나옵니다. 그 믿음은 무엇으로 구성되었습니까? 예수님이 메신저였던 능력을 인식하고 이 능력이 무엇이든 성취할 수 있다는 믿음입니다. 때때로 군중은 그 믿음의 역사를 방해하려고 했습니다. 예를 들어, 누가복음 18장 35-40절을 보십시오.

그러나 믿음의 사람은 더욱 열렬히 외쳤고, 예수님은 "내게 무엇을 원하느냐?" 하고 물으셨습니다. 그는 "주님, 다시 보기 원합니다."라고 말했습니다. 예수님은 그에게 "눈을 떠라. 네 믿음이 너를 구원하였노라."고 말씀하셨습니다.

또 다른 병자는 그의 옷자락을 만지는 것만으로도 치유되었습니다.

어떤 사람들은 고대의 언어로 표현하자면 "많은 악마에 사로잡혔다"고 할 정도로 고통스러워했습니다. 이럴 때에도 우리는 하나님의 능력을 인정합니다. 마침내 그리스도 앞에 서면, 인간 본성의 정복되지 않거나 죄 많은 부분은 절망에 빠져 외칩니다.

예수님은 고치지 않는 병이 없습니다. 그가 "강력한 행위"를 수행하지 않는 것은 오직 믿음이 너무 부족하여 예수님이 모든 질병에 대한 치료법으로 제공하는 의로운 삶에 대한 받아들임이 아직 없는 지역에서만입니다. 그는 이런 덜 깨달은 곳에서도 치유를 행할 수 있었지만, 그것은 현명하지 못했습니다. 치유는 질병으로부터 자유를 가져다주는 교훈을 시행할 수 있는 기회였기 때문입니다. 그는 받아들임과 다시 태어남, 믿음과 믿음이 원하는 것, 의에 대한 열정과 온전함 사이의 일치를 강조합니다. 그가 할 수 있는 일은 훨씬 더 많았지만, 그는 자신을 가장 필요로 하고 그리스도를 위해 가장 준비된 사람들을 위해 자신의 삶을 바쳤습니다.

예수님은 복음 전체에서 사랑, 섬김의 삶, 자기 부인, 비이기심을 강조하십니다. 그러므로 그가 모든 사람에게 불렀던 이 의로운 삶이 건강하고 온전한 삶이라는 위대한 진리를 숨길 수는 없습니다.

이기심과 질병 사이에는 밀접한 상관관계가 있습니다. 건강이 의로운 것이라면 불의의 냄새가 나는 모든 것은 어느 정도 건강에 해롭습니다. 건강하기를 원한다면, 사랑하고, 봉사하고, 자기 위주에서 벗어나도록 하십시오.

아픈 사람이 먼저 할 일이 다른 사람을 생각하는 것이라고 말하는 것은 신비스럽고 언뜻 보기에는 비합리적으로 보입니다. 그러나 아픈 사람들, 특히 부유한 사람들의 삶을 연구하고 당신이 끌어낸 결론에 주목하십시오.

예수님처럼 겸손한 방법으로 치유하려고 노력하던 한 사람은 "제게 가장 어려운 환자는 외동딸과 하숙하는 독신 여성입니다."라고 말했습니다. 왜 그럴까요? 외동딸은 유머를 좋아하고, 부유한 하숙생은 자신의 병을 키울 시간이 있기 때문입니다.

대부분의 경우 첫 번째 단계는 아픈 사람이 할 일을 찾도록 설득하는 것입니다.

아마도 이 글을 읽는 모든 독자는 위의 내용이 적용되지 않는 달콤하고, 쾌활하고, 인내심 있는 환자를 생각하고 있을 것입니다. 질병이 "은혜의 수단"이 될 수 있다는 것은 부정할 수 없습니다. 그러나 병에 걸릴 시간과 돈이 있는 사람들의 마음에는 보통 어떤 생각이 가득 차 있습니까? 그들의 의식이 예수님이 고쳐 주신 사람들처럼 하느님에 대한 믿음으로 가득 차게 된다면 그들은 얼마나 오래 아프게 지내겠습니까?

그러나 1900년 전의 고통받는 사람들은 살아 계신 예수님을 바라보며 그 얼굴의 광채를 바라볼 수 있었습니다. 의심할 여지 없이 이것은 도움이 되었습니다. 그러나 그리스도는 지금 여기에 있습니다. 우리는 예수님이 행하신 강력한 사역에 대한 기록뿐만 아니라 예수님이 보내신 능력이 사람들의 생각과 마음에 작용하는 모든 기독교 세기의 증거를 가지고 있습니다. 하나님은 오늘날에도 존재하십니다. 그리스도는 모든 사람 안에 계십니다. 믿음은 많은 것을 성취할 수 있습니다. 예수님이 말씀하신 것은 그때나 지금이나 여전히 진실입니다. 보이지 않는 그리스도를 믿는 데는 더 큰 믿음이 필요할 수 있지만, 우리는 더 발전했고 더 큰 힘을 가지고 있습니다. 우리가 믿음을 갖지 않는다면, 그것은 더 큰 죄입니다.

그러므로 기독교적 치유는 하나님을 믿는 믿음, 즉 기독교의 의로움입니다. 예수님이 제자들이 불안에 떨고 있을 때 불신의 풍랑을 잔잔하게 가라앉히셨던 것처럼, 우리도 고난의 물 위를 걸으며 성난 바다 위의 순수한 영역에 굳건히 서서 마법의 말을 내뱉어야 합니다. "평안하라, 고요하라!"

예수님이 바람과 파도조차도 순종하도록 명령할 수 있었던 것은 자신의 뜻이 아버지의 뜻과 하나였고, 의로운 삶을 살았기 때문입니다. 누구에게나 의는 비슷한 힘을 가지고 있습니다. 예수님의 영을 느낀 사람들이 오랜 세월 동안 병을 치료하지 못한 것은 기독교의 일방성 때문입니다. 기독교는 죄에 대해서는 너무 강조하고 죄악된 삶의 다른 측면인 질병에 대해서는 거의 강조하지 않았습니다.

가장 큰 오류는 죄에서 벗어나는 방법 대신 죄를 강조한 것입니다. 의가 초자연적인 은혜를 통해 오는 것으로 여겨지고, 기독교의 치유가 기적적인 것으로 여겨지는 동안 구원의 날은 미루어졌습니다. 이제 우리는 은혜와 치유가 모두 율법을 통해, 수용과 믿음을 통해 온다는 것을 알고 있습니다. 가장 위협적인 신체 질병에도 기독교를 적용하지 않는 데 더 이상 변명의 여지가 없습니다.

7장.

또 다른 비밀

예수의 복음을 온전히 받아들이지 않았기 때문에, 기독교는 본질적으로 부정적인 의미에서 포기의 종교이며, 예수님은 무엇보다도 "슬픔을 알고 슬픔에 익숙한 사람"이라는 주장이 오랫동안 제기되어 왔습니다. 따라서 이러한 특징이 강조되어 왔으며, 기독교 비평가들에 의해 일부 새로운 교리들이 퍼져나갔습니다. 그들은 마침내 기쁨의 종교가 발견되었다고 우리에게 확언합니다.

그렇다면 기독교는 반드시 슬픔과 자기포기의 종교일까요?

그 잘못은 예수님에게 있습니까, 아니면 예수를 해석하는 사람들에게 있습니까?

예수님은 천국이 "가까이 왔다"는 기쁜 소식을 전하러 왔습니다.

그는 "생명과 불멸의 빛을 밝히러" 왔습니다. 그는 병든 자를 고치셨을 뿐만 아니라, 정신적으로 갇힌 자를 자유롭게 하셨고 영혼을 살리셨습니다. 이보다 더 기쁜 일이 어디 있겠습니까? 그의 말씀을 듣는 사람들의 잠자고 있던 개성을 이보다 더 확실하게 불러일으킬 수 있는 일이 어디 있겠습니까?

예수님은 자신을 버린 사람은 자신의 참된 본질을 찾을 것이라고 명확히 말씀하셨습니다. 인간은 포기하고 잃는 것이 아니라 헌신하고 얻는 존재입니다.

따라서 예수님의 교리는 동양의 비관주의에서 영감을 얻은 약화되는 태도, 즉 예수님이 가르친 포기가 기독교에 해를 끼치는 태도와 자주 비교되는 것과는 거리가 멀었습니다.

모든 부정적 진술에도 불구하고, 예수님은 인간이 지독한 물질에 얽매인 존재에 절망하여 우리의 외적인 삶이 악하다고 선언하는 사람들과는 달리 주로 낙관주의자였습니다. 그는 사람들에게 "욕망을 없애라"고 말하지 않았습니다. "열반"에 대한 열정을 불러일으키지 않았습니다. 육체를 비난하지도 않았습니다. 그의 교리에서 도출된 금욕주의적 결론은 예수님이 결코 제시하지 않은 잘못된 전제에서 비롯된 것입니다.

예수님은 자연의 세계와 육체를 하나님의 영광과 지혜의 표현으로 여겼습니다. 사람은 영혼의 소유물을 먼저 돌보아야 한다고 가르쳤습니다. 그러나 인간이 보이지 않는 왕국에서 참된 삶을 발견했을 때 외부의 모든 것이 올바른 관계로 추가되어야 했습니다. 따라서 그의 교리는 비평가들이 부정적으로 해석했을 때에도 모든 면에서 긍정적이었습니다. 그것은 실용적이었습니다. 이것이 위대한 비밀이었습니다.

슬픔과 비통함 속에서 예수님을 알게 된 것은 그의 자비로운 동정심 때문이었습니다. 이것을 주님이 슬픔을 강조했다고, 즉 슬픔을 오래 품으면 그리스도를 닮아간다는 식으로 이해해서는 안 됩니다. 우리는 슬픔과 도움의 필요성을 인식하되 그 너머에 있는 영적인 삶의 보상을 바라보아야 합니다. 고통의 깊은 의미를 드러내는 기쁜 소식에 중점을 두어야 합니다.

따라서 현실에서 기독교를 폄하하는 사람들은 복음의 더 깊은 기쁨을 간과하고 동정심이 현저히 결여된 피상적인 자기만족으로 대체한다고 믿게 됩니다. 더 큰 비전은 처음으로 예수님의 기쁨을 참된 빛으로 드러내는 것처럼 보일 것입니다. 그를 거부하고 폄하하는 대신, 이제 마침내 참된 해석을 가로막는 장애물이 사라진 것을 기뻐해야 합니다. 그리고 "예수님은 고난을 받으실 필요가 없었다"고 무심코 선언하는 대신, 그 고난의 이면에 드러난 더 큰 기쁨을 바라보는 것이 더 나을 것입니다.

8장.

비관주의의 비밀

오랫동안 극심한 우울증과 동물적 본능으로 시달렸던 한 성직자가 자기 영혼의 비밀스러운 투쟁을 털어놓은 적이 있습니다. 그는 이미 중년을 지났기 때문에 활용할 수 있는 풍부한 경험을 가지고 있었습니다. 여러 해 동안 마음을 사로잡는 영적 환상들이 때때로 그의 평범한 생각들 속에 산재되어 있었는데, 그 환상들 속에서 그는 가장 높은 곳으로 들어올려진 것처럼 보였습니다. 한동안 그는 자신의 정통 신앙의 하나님, 모든 천사들, 성자, 선지자들과 함께 거했습니다. 환상이 지속되는 동안 그보다 더 행복할 수 있는 사람은 없었습니다.

그런 다음 며칠 동안 가장 불경스러운 생각과 욕망으로 가득 찬 절망의 나날이 이어졌고 더 나은 자아와 크게 단절된 느낌이었습니다. 무엇보다도 영성을 추구하는 사람이 때때로 그렇게 육신의 생각을 한다는 것은 이해할 수 없는 일이었습니다. 이에 대해 물었더니, 그는 초월적인 환상이 나타났을 때 황홀경에 빠져 온전한 축복 없이는 그 환상을 놓지 않기로 결심하고 그 속으로 몸을 던졌다고 밝혔습니다.

그리고 그에게 명백한 저주가 내려졌습니다.

그의 우울증의 원인이 여기에 있었습니다. 진자는 한 방향으로만 흔들려야 합니다. 과도한 엑스터시 뒤에는 심한 우울증이 뒤따릅니다.

따라서 수수께끼가 설명되었습니다.

그 남자가 그 환상을 차분히 관조하면서 자신의 영혼이 자연스럽고 쉽게 조화를 이루도록 허용했다면 아무 반응도 없었을 것입니다.

물질적 생계와 마찬가지로 영적 양식에 대한 능력의 자연법칙이 있습니다. 영혼은 자신이 유익한 것이 무엇인지 알기 때문에 강압이 필요하지 않습니다.

이것이 사실이라는 것은 타고난 극단주의자이자 고행자였던 많은 사람이 모든 일에서 중용을 습득하고 모든 경험에 평온하게 접근하는 법을 배운 경험으로 증명됩니다. 금욕주의는 질병입니다.

절제는 곧 건강입니다.

따라서 자제력의 예술은 건강과 떼려야 뗄 수 없는 관계에 있습니다. 많은 경우 건강이 나빠지는 것은 과도한 감정이나 황홀경에 따른 습관적인 반응이 강화된 것일 뿐입니다.

비관주의는 일상적으로 나타나는 극단적인 기분으로, 신체적 과잉이나 불균형과 함께 따라다닙니다. 세상이 부조리하고 불결하다고 여기는 사람은 스스로 균형이 맞지 않고 병적인 사람입니다. 과도한 죄의식이나 용서받을 수 없는 죄를 지었다는 두려움은 그저 한 가지 생각에 지나치게 집착하여 나타나는 비관적인 반응에 불과합니다. 병적인 자의식은 단지 과잉일 뿐입니다. 비관주의는 삶의 한 면을 지나치게 강조하는 것입니다.

사고나 기질에 대한 낙관주의가 철학적 사고의 건전성을 의미하는 것은 결코 아닙니다. 낙관주의자는 비관주의자만큼이나 맹목적일 수 있습니다.

무비판적인 낙관주의는 얄팍한 순진함일 수 있습니다. 진정한 삶의 철학은 모든 관점을 포괄해야 합니다.

그러나 일반적으로 비관적인 분위기는 병적인 상태에 의해 더 자주 채색됩니다. 그것은 일반적으로 육체의 가장 모호한 조직을 통해 어둠 속에서 보이는 환각입니다.

이 결론에 대한 증거는 우울하고 낙담한 감정이 내면으로 향하는 경향이 있다는 사실에서 찾을 수 있습니다. 의심, 자책, 절망이 커지면 마음은 닫히고 더 깊은 곳으로 가라앉습니다. 마음은 자신의 비애와 고통에 몰두합니다.

다른 사람의 고통과 불행이 만연해 있는 것을 생각하면서 위안을 찾습니다. 세상은 너무 타락하여 정죄를 받습니다. 신은 그런 세상을 만들었다는 이유로 조롱받습니다. 더 큰 재앙이 도사리고 있고, 죽음이 모든 것을 지배합니다.

낙관적인 비전은 이러한 우울한 성찰에서 볼 수 없는 광대한 현상을 포용합니다. 가볍고, 희망차고, 쾌활합니다. 주변을 넘어 위와 그 너머를 바라봅니다. 종합적이고 포괄적이며 눈에 보이지 않습니다. 무슨 일이 있어도 좋은 일만 생길 수 있다는 것을 은밀한 직감으로 알고 있습니다.

예리한 자기 인식과 자제력을 가진 사람들은 비관주의의 첫 번째 증상을 잘 알고 있습니다. 결정적인 순간에 마음을 닫을 수도 있고 열 수도 있으며, 육체 속으로 가라앉거나 침착하게 육체 위로 올라갈 수도 있습니다. 낙관적인 대안을 포착하는 것은 감각적인 슬픔에서 벗어나 같은 에너지를 희망의 생산으로 전환하는 것입니다.

감각적 수준을 넘어서면 무언가를 놓칠 수도 있습니다.

그러나 그 경험은 다른 틀에서 완전히 다시 주조되어야 할 가치가 거의 없습니다.

사실, 모든 슬픔을 극복할 수 있다면 그 사람은 분명 패배자가 될 것입니다.

금욕주의자가 되고 싶은 사람은 아무도 없습니다.

그러나 권세자들은 우리가 피할 수 없는 고통을 줄 것입니다. 예상치 못한 패배와 여러 가지 방해로 슬픔이 찾아올 것입니다.

이것들을 교훈으로 삼고 감사하세요.

그러나 누구도 영원히 흥망성쇠를 기대하지 않습니다. 평온한 마음으로 위나 아래를 바라볼 수 있는 균형 잡힌 상태가 있습니다. 비애의 세계에 있을 수 있지만 비애에 빠지지 않을 수도 있습니다.

어쩌면 슬픔을 최대한 정복하는 것이 옳을지도 모릅니다. 인간은 모든 기분에 굴복하는 생물일 뿐입니다. 다른 장에서 살펴보겠지만, 감정과 생각 사이에는 고귀한 균형이 있습니다.

자제력이 있는 사람은 원한다면 스스로를 해방시킬 수 있습니다. 따라서 그는 감정에 대한 능력이 더 큰 사람보다 엄청난 이점을 가지고 있습니다. 우리가 할 수 있었지만 하지 않은 일은 쉬운 일보다 훨씬 더 큰 도덕적 의미를 갖습니다. 인간은 누구나 천사이자 악마입니다.

유혹을 한 번도 만나지 않았다면 천사가 될 자격이 없습니다.

단순히 느낄 뿐만 아니라 이기는 사람에게는 점점 더 많은 것이 더해질 것입니다. 그리고 이상적인 상황은 낙관주의와 비관주의를 모두 소유하는 것입니다. 이것이 악의 문제와 어떤 관련이 있는지 쉽게 알 수 있을 것입니다.

비관주의를 이해하고 기분을 개선하거나 습관을 형성하는 방법을 아는 것은 인간 삶의 모든 단계를 마스터하는 것입니다. 어두운 유리를 통해 보이는 것은 물론 그 자체로 사실이지만, 날이 밝으면 수천 개의 환상이 변형됩니다. 그런 다음 비관적인 분위기는 낙관주의의 가치를 평가하기 위한 대조 효과로서 회고적 가치로만 분류됩니다. 우울증 치료법이 발견되고 고통과 슬픔, 비참함과 재난에서 벗어날 수 있는 길이 열리면 더 이상 삶을 비관적으로 바라볼 이유가 없지 않을까요?

고통은 악이 아니라 정상적인 한계를 넘어섰다는, 그래서 회복의 과정이 시작되었다는 자연스러운 암시입니다. 영혼이 계속 머무는 영원한 현재라는 관점에서 삶을 바라보는 사람에게 죽음은 악이 아닙니다. 도덕적, 영적 보상의 관점에서 볼 때 우리의 비윤리적인 삶도 악이 아닙니다.

이러한 것들은 해탈의 길을 배우지 못하고 그 의미를 모르는 사람들에게만 악으로 보일 뿐입니다. 이것으로 세상을 판단하는 것은 추론의 큰 오류를 범하는 것입니다.

평화, 평온, 중용, 다양성의 삶에서 이러한 경향에 대한 완전한 해결책을 발견할 때, 그리고 이러한 경향을 한꺼번에 정복할 수 있는 활동의 원리를 발견할 때, 판단의 완전한 반전이 일어납니다. 어두운 분위기가 지속되는 동안에는 판단해서는 안 된다는 것이 알려져 있습니다. 밤이 짧아지고 낮이 거의 연속될 때까지 조금씩 기다려야 합니다.

따라서 비관주의가 사라졌을 때만 그 진정한 본질을 볼 수 있습니다. 그러나 우리는 이야기가 끝나기 전에 속편을 말하고 있습니다. 이제 자제력의 다른 측면을 고려해 보겠습니다.

9장.

작업의 비밀

몇 년 전, 일용직 노동자들이 일하는 모습을 관찰할

기회가 있었습니다. 시골 마을의 한 낡은 저택을 둘러싼

땅이 수년간 방치된 후 개선되고 있었습니다. 땅을 파고,

등급을 매기고, 나무를 벌목하는 작업이 진행 중이었습니

다. 인부들은 이 마을에서 오랫동안 살아온 보수적인 주민

들이었습니다. 반면 건설업자는 다른 마을에서 온 외지인이

었고 상업주의의 희생양이었습니다. 부하 직원들이 하루하

루 열심히 일하는 동안, 계약자는 자신의 팀과 함께 수익을

극대화하기 위해 생산성 향상을 추진했습니다.

노동자와 업자의 작업 방식은 매우 대조적이었습니다.

인부들은 일정한 속도로 삽을 들었고, 도끼를 휘두를 때마

다 잠시 휴식을 취했습니다. 그들은 최소한의 에너지로 삽

과 도끼를 사용하는 효율적인 방법을 배웠기 때문에 매일,

매주 하루 종일 일할 수 있었습니다.

그러나 건설업자가 도끼를 들어 올리면 놀라울 정도로 빠른 속도로 타격이 이어졌습니다. 그는 놀라울 정도로 힘이 세고 정력적인 사람이었고, 이틀 분량의 일을 단 하루만에 끝낼 수 있었습니다. 사람들은 그의 작업에 감탄하지 않을 수 없었습니다. 그의 근육질 체격은 수년간의 야심찬 노동의 증거였습니다.

그렇게 몇 달이 지나고 어느 날, 이 계약자가 중병에 걸렸다는 소식이 전해졌습니다. 의사가 그에게 어떤 진단을 내렸는지는 모르겠지만, 아마도 의사가 오래되어서 그런지 그의 환자는 잘 분류된 질병에 걸렸다고 들었습니다. 그 남자는 몇 달 동안 아팠습니다. 그리고 이듬해 여름, 우리는 그가 다시 활기차게 일하는 모습을 볼 수 있었습니다.

다른 사람들은 쉬지 않고 일하는데 왜 한 사람은 병에 걸렸을까요? 어떤 음식을 먹었는지가 중요했을까요? 종교나 철학이 결정적인 요인이었을까요?

아니요, 그것은 주로 무력 사용 방식의 차이, 즉 혼돈과 질서의 차이가 결정적이었습니다.

그 힘을 뭐라고 부르든 상관없습니다. 어떤 식습관, 철학, 종교 체제에서도 대가를 치르지 않고는 자연의 규칙적인 힘의 공급을 거스를 수 없습니다. 붕괴는 오랫동안 연기될 수 있습니다. 낙관적인 사고 과정을 통해 일시적으로 신경 반응을 극복할 수 있습니다. 그러나 심판은 반드시 올 것입니다.

과로로 인한 쓰러짐의 원인을 알려면 개인의 기질을 이해해야 합니다. 우리는 그들의 비밀, 그들이 자신을 어떻게 사용하는지, 담배를 피우거나 술을 마시는지, 또는 어떤 종류의 과잉의 희생자인지 알아야 합니다. 여성의 경우, 우리는 그녀가 모든 형태의 감금의 노예가 되는 것에서 얼마나 멀리 떨어져 있는지 알아야 합니다. 우리는 남성과 여성의 직업에 대해 연구하고, 그들이 어떻게 일하고 어떻게 쉬는지 배우고, 그들의 자제력과 의식 유형을 발견해야 합니다.

정신적, 육체적으로 모든 방해받는 활동의 배후에는 영혼에 작용하는 힘에 대한 부적응이 있습니다.

모든 것은 내면의 의식의 정도에 따라 달라집니다. 판단력에 도달한 영혼은 보통 사람이 꿈꾸지 못하는 힘을 가지고 있습니다.

대부분은 습관의 산물입니다. 잘 준비된 영혼만이 행동의 기원을 주재한다는 것이 무엇을 의미하는지 알고 있습니다.

태어날 때부터 죽을 때까지 인간을 휩쓸고 지나가는 충동의 파도를 막으려면 어느 정도의 자기 소유가 필요하기 때문입니다.

마침내 삶이 평온을 찾으면 놀라운 변화가 일어납니다.

몸을 억지로 움직이거나 뇌에 생각을 강요하는 대신, 우리는 영과 더 많이 협력하게 됩니다. 저항이 가장 적은 선을 발견합니다. 적절한 순간을 기다립니다. 최고의 인도가 자연스럽게 나온다는 것을 배우고, 삶을 단순화함으로써 엄청난 시간과 에너지를 절약합니다. 영이 승인하는 것만 행동에 옮기고 다른 모든 것은 후회 없이 지나칠 수 있다는 것을 배웁니다.

그러나 내면의 위대한 삶에 대한 비밀은 직업에 관계없이 모든 현명한 사람이 배우는 동일한 원리입니다. 그들은 하루 종일 운전하거나 장거리 여행을 떠날 때에도 동일한 리듬 절제의 법칙을 따릅니다. 숙련된 산악인은 하루 종일 가파른 바위를 오를 때 이 규칙을 준수합니다. 성공적인 육체 노동자는 이 규칙을 마스터했습니다. 그들은 수많은 방법으로 이 비결을 터득했습니다.

그러나 자신의 직업에서 이 법칙을 마스터한 많은 사람들은 열정의 노예이거나 자신이 선택한 일에서 과잉의 노예입니다. 진정으로 성공하려면 모든 분야에 업무의 기술을 적용해야 합니다. 비밀의 비밀, 자기 통제의 내적 법칙이 있습니다. 이것을 아는 것은 인간 활동의 모든 영역을 소유한다는 것을 의미합니다.

겉으로 평온해 보이는 많은 사람의 내면에는 성난 화산과 예초기가 있습니다.

예술의 예술은 분노하지 않으면서도 중심에서 고요함의 법칙을 아는 아는 것입니다.

일에서 자제력의 비밀이 얼마나 놀라운 것인지 알고 계십니까?

모든 행동에 절제하는 것이 가능하여 내면의 삶이 신체의 리드미컬한 기능에 완벽하게 적응하여 질병을 불가능하게 만들 수 있다는 것을 알고 있습니까?

자제력이란 영혼의 통제력을 의미하며, 그렇지 않다면 그것은 단순한 가식일 뿐이라는 것, 영혼은 불멸의 영이며, 소위 불가능한 것을 실제로 성취할 수 있는 힘을 지휘하며, 거의 모든 사람들이 통제할 수 없다고 믿는 것조차 통제할 수 있다는 것을 깨달았습니까?

당신이 그것을 깨닫는다면, 종교 생활에서 아래쪽으로 모든 것을 포괄하는 엄청난 책임이 당신에게 주어지며, 자제력이 있는 사람은 이기적이지 않아야 한다는 것을 보여주는 책임도 있습니다.

일의 비밀에는 다른 측면도 있습니다. 예를 들어, 잠재의식에 대한 지식과 의존성이 있습니다. 그러나 이 모든 것은 평정심이나 침착함의 자연스러운 결과입니다. 우리는 이 책 전체에 걸쳐 다양한 측면에서 이를 고려하고 있습니다. 지금 핵심은 에너지의 경제성입니다.

건강의 예술에서 일의 예술을 가리는 것은 불가능하며, 여기에 다른 형태의 비관주의의 비밀이 있습니다.

비관주의는 힘의 낭비이며, 사는 방법을 모르는 사람의 형벌입니다. 비관론자는 개념이 없는 더 높고 리드미컬한 작업 방식에는 기쁨이 있습니다. 우리가 우리의 일을 기뻐하지 않는다면 우리에게 뭔가 잘못된 것이 있으며, 그 장애물을 극복하는 승리는 우리가 각 장에서 다른 형태로 고려하고 있는 것과 동일한 승리입니다.

10장.

건강의 기술

인간의 삶에서는 질병과 고통이 불가피한 요소로 존재

하곤 합니다. 이는 우리의 일상에서 피할 수 없는 부분으로, 인간 삶의 본질적인 조건 중 하나입니다. 이러한 질병과 고통에 대한 비판은 종종 신이나 우주의 공평성에 대한 의문을 제기하게 만듭니다. 왜 우리는 고통을 겪어야 하는지, 왜 질병은 우리의 삶을 방해하는지에 대한 의문이 생기기도 합니다. 하지만 만약 우리가 처음부터 완벽하게 건강하고 질병 없이 창조되었다면, 우리는 다양한 기회를 가질 수 있을 것이라는 주장은 어떤가요? 이러한 주장은 매우 흥미롭지만, 현실적으로 보면 많은 사람들이 건강 문제로 인해 불행한 상황을 겪고 있는 것이 사실입니다.

이에 대한 이해를 돕기 위해, 비판자 중 한 명이 갑자기 완전히 건강해진다고 가정해봅시다. 그는 그동안 오랜 시간

동안 고통과 스트레스로 인해 지친 상태라고 말할 것입니다. 그렇다면 그는 얼마나 오래 건강을 유지할 수 있을까요? 만약 그가 질병의 근본적인 원인을 알지 못한다면, 그는 단지 외적인 치료법에 의존하며 일시적인 효과만을 얻을 수 있을 것입니다.

더 나아가, 만약 모든 고통이 사라진다고 가정해봅시다. 고통은 일반적으로 경고와 휴식의 필요성을 알려주는 역할을 합니다. 그렇다면 고통이 없다면 우리는 어떻게 우리의 몸이 과로를 경계하거나 휴식을 취하거나 부상을 치료할 수 있을까요?

인간의 삶이 며칠 만에, 심지어 몇 시간 만에 파멸할 것이라는 것은 쉽게 알 수 있습니다. 대다수 인류에게 고통은 유일한 균형추이며, 고통이 없다면 일 년에 수천 번씩 스스로 목숨을 끊을 것입니다. 현재의 모든 고통이 제거되고 다른 어떤 것도 바뀌지 않는다고 해도 인간은 곧바로 다시 고통을 개발하게 될 것입니다. 도시에 모여 살면서 풍족한 음식을 먹고, 늦게까지 생활하고, 육체적 기계를 전속력으로 돌리면서 동시에 고통으로부터 자유로워지기를 기대하는 사람은 아무도 없을 것입니다. 인간이 자연에서, 중도에서 벗어나 어떤 방향으로든 기울어지는 순간 고통을 겪는다는 것은 이 위대한 우주가 제공하는 매우 현명한 지혜 중 하나입니다.

고통의 교훈은 인간에게 현명하고 침착하며 균형 잡힌 사람이 되도록 조금씩 가르치고 있습니다. 경고로서의 고통이 없다면 우리는 사실 삶의 정신에 대한 단서가 없을 것입니다.

질병은 인간의 기원에서 비롯됩니다. 즉, 우리가 겪는 질병을 말하는 것이며, 식물과 동물의 질병은 제외합니다. 왜냐하면 인간이 건강하다면, 모든 외부 오염을 피할 수 있을 것이기 때문입니다.

인간은 자연에서 멀어지고, 단순함의 이상에서 벗어났습니다. 그는 인공적인 삶을 살며 그 결과를 받아들이고 있습니다. 그러므로 오직 자신만을 탓할 수 있습니다. 인간은 확실히 무지한 채로 자신의 불행을 초래했으며, 무지하기 때문에 우주를 비난합니다. 그러나 법칙에 대한 무지가 변명이 될 수는 없으며, 인간 스스로 자신의 고통스러운 삶의 기초를 마련했다는 사실은 여전히 남아 있습니다.

치료법을 찾기 위해 멀리 떠나 무언가를 찾아 헤매는 것은 굳이 필요하지 않습니다. 인간이라는 존재는 자기 자신의 의견과 생각에 따라, 우주가 그에게서 빼앗아간 모든 것들을 누리는 방법을 찾아낼 수 있습니다. 즉, 그는 건강을 가질 수 있고, 고통으로부터 자유로울 수 있습니다. 그러나 이러한 자유를 얻기 위해서는 높은 대가를 치러야 합니다.

그 대가의 첫 번째 조건은 자기 자신을 연구하는 것입니다. 자신의 기본적인 습관이 무엇인지를 파악하고, 어떤 상황에서 어떠한 방법으로 최상의 성과를 이끌어낼 수 있는지, 그리고 어떤 목표를 두고 그를 향해 나아갈 것인지 배우는 과정이 필요합니다.

두 번째 조건은 병에 대한 이해입니다. 질병이 어떻게 우리의 삶의 방식에 따라 발생하는지, 잘못된 생활 방식이 어떻게 질병을 유발하는지, 또한 잘못된 치료 방법이 어떻게 질병의 상태를 악화시키는지에 대한 이해가 필요합니다. 이 모든 것에 대해 매우 포괄적인 지식을 갖추어야 합니다. 정신적인 원인만을 고려하거나, 신체적인 원인만을 추적하는 것이 아니라, 모든 질병이 발생하는 원인을 이해하고, 단순히 채식주의를 실천하거나 하루에 두 끼만 먹는 등의 극단적인 방법으로 완전한 건강을 얻을 수 있다고 기대하는 것은 무리입니다. 질병은 우리의 전체적인 삶의 방식이 잘못되었다는 표현이므로, 그 치료는 생각, 습관, 그리고 삶의 방식에 대한 완전한 변화를 통해 이루어져야 합니다.

인간은 건강이 절제, 균형, 그리고 조화라는 큰 진리를 배워야 합니다. 한 종교에서 다른 종교로 바꾸며 평화를 찾으려고 기대하는 것은 헛된 일입니다. 여전히 끈기 있는 사람이거나 극단주의적인 사람이며, 여전히 폭력적이거나 걱정이 많거나 초조하거나 이기적인 사람이라면 어떤 신념 형태에서든 건강할 수 없습니다. 본질적으로 중요한 것은 평화롭고, 자신을 이해하고, 어떻게 살아가며, 어떻게 건강을 유지할 것인지를 알아야 한다는 것입니다.

그러므로 건강의 기술은 결국 삶의 기술이며, 조화와 균형을 찾는 기술이기도 합니다. 또한, 이는 큰 성공의 기술의 다른 형태로 볼 수 있습니다. 왜냐하면 깊은 의미에서 건강은 우리가 어떤 특정한 직업에 힘을 바칠 때와 떼어놓을 수 없는 요소이기 때문입니다.

11장.

자조의 비밀

도시 거리에서 분노한 무리를 만나게 될 경우, 그들에게 폭력적인 조치를 취하거나 위협과 폭력적인 학대로 그들을 진압하려고 한다면, 군중은 더욱 분노하게 되어 나에게 반격하거나, 심한 경우에는 나를 살해할 수도 있습니다. 그러나 반대로, 만약 그들이 겪고 있는 혼란의 원인을 이해하고 그들에게 형제로서, 평화의 전령으로서 나아가 공감과 지혜의 말씀을 전한다면, 그들은 내 말의 차분한 힘을 느끼게 될 것입니다. 그렇게 되면, 그 무리는 점차 가라앉게 되고, 그런 다음에야 해당 어려움에 대한 완전한 설명을 할 수 있게 될 것입니다.

첫 번째 방법은 격렬한 반격이며, 이는 과도한 반응을 초래할 수 있습니다. 그러나 두 번째 방법은 무저항이 아니라 더 큰 힘이 더 작은 힘에 대한 승리입니다. 이 비유는 고통을 대하는 두 가지 방법의 관계를 완벽하게 나타냅니다.

고통을 그 자체의 차원에서 직면하고, 그것에 흡수되어 싸움을 벌이면, 고통은 더욱 강화되는 결과를 초래하게 됩니다. 그러나 고통을 높은 의식의 차원에서 바라보고, 그것에 대한 관심을 돌려 놓으면 그 힘을 약화시키고 명확한 이점을 얻을 수 있게 됩니다.

군중을 진정시키려는 사람은 먼저 차분하고 집중된 상태가 되어야 합니다. 그런 다음 조용히 상황을 고려하여 결정적인 말을 전할 수 있도록 준비해야 합니다. 동정심 외에 모든 감정을 비우고, 지혜로운 상황판단을 통해 침착하게, 그러나 강력하고 확신에 찬 말로 전해야 합니다. 이런 접근 방식은 오해를 없애주며, 무력한 평화와 통찰력의 말로 인해 마법 같은 효과를 낼 수 있습니다. 이렇게 하면, 분노한 무리도 그들이 겪고 있는 상황을 이해하고 공감하게 되므로, 결국은 평화롭게 상황을 해결할 수 있게 될 것입니다.

위협적인 감각에서 벗어나 안정의 상태를 찾고자 하는 사람은, 결코 쉽지 않지만, 차분하고 공정한 시각을 유지해야 합니다. 흔들리는 힘들의 무리, 즉 혼란과 도전, 문제들의 비바람 속에서 잠시 자신을 떠나 철학적 통찰력의 산 정상으로 떠올라야 합니다. 이는 마치 영혼의 고독을 찾아서, 영적인 길을 걷는 여정과 같습니다.

그 고독은 상쾌하며, 그 길은 평화로워야 합니다. 이는 왜냐하면 모든 무리, 즉 혼란과 도전, 문제들은 과잉의 폭발이며, 모든 고통은 어떤 형태의 과도한 활동의 표현입니다. 따라서 정신적인 면, 말하는 방식, 태도에서 극도로 절제되어야 합니다.

갑작스러운 폭력의 폭발로 소모될 수 있는 에너지는 연속적인 순간들을 통해 잘 발휘된 힘으로 분배되어야 합니다. 폭력이나 군중이 스스로에게 돌아가도록 하고, 그것이 튕겨져 나가게 두세요. 이렇게 차분하고 관찰적인 상태를 유지하면서 힘이 작용하도록 하되, 필요한 때에 새로운 자극을 줄 수 있어야 합니다.

만약 그런 군중에게서 자유로울 수 있다면, 과정은 저절로 해결될 것입니다. 이는 개인의 힘으로 모든 것을 해결하려는 시도보다는, 집단 전체와의 대화와 협력을 통해 문제를 해결하는 것이 더 효과적이라는 것을 의미합니다. 각 사람과 이성으로 논쟁해야 한다고 생각하지 마세요. 지혜의 말씀을 전하고 대응에 적응하세요.

자연은 나머지를 돌보는 능력이 있습니다. 이는 자연의

힘과 지혜를 빌려 문제를 해결하라는 것입니다. 평화의 말은 계산으로 측정할 수 없는 힘을 지니고 있습니다. 이는 평화적인 해결책이 가장 강력하다는 것을 보여주는 말입니다.

지혜는 그 무거움만으로도, 어떠한 오류도 허용하지 않는 힘을 갖추고 있습니다. 이러한 지혜는 진실의 힘을 내포하고 있어, 무리를 진정시키는 능력을 가지고 있습니다.

그 지혜로운 설득력을 갖춘 진실한 사실이란 것은, 그 자체로서 이미 방어력을 갖추고 있어서 무리를 진정시키는 힘을 가지고 있는 것입니다. 이와 동시에, 진실은 병든 사람을 자유롭게 만드는 힘이 있습니다. 그 진실의 힘은 그가 마음과 몸 모두 아픈 상태임을 알려주지만, 그 병보다 그가 더 크다는 것을 알려줍니다. 그는 그저 육체적인 존재가 아닌, 영적인 존재이며, 하나님의 아들로서 지혜와 사랑과 평화를 내포하고 있습니다. 그는 육체적인 세계뿐만 아니라, 하나님이 직접 작용하는 더 높은 영적 세계인 환경적 영역에서도 존재합니다. 그는 자신의 감각의 무리를 초월하는 능력을 가지고 있으며, 그 지혜의 사람이 되기 위한 능력이 있습니다. 그는 불안한 하위 생활의 바다를 가라앉히는 평화의 말씀을 전하는 그리스도에게 호소할 수 있는 존재입니다.

이렇게 보면, 어떤 문제가 있는지는 거의 중요하지 않은 일입니다. 왜냐하면 하나님의 지혜는 모든 질병에 대한 만병통치약이기 때문입니다. 그리고 하나님의 평화는 모든 상황에 영향력을 가지고 있습니다. 그 평화와 권능은 모든 영혼에게 열려 있으며, 하나님은 어디에나 계신 존재입니다. 그래서 모든 사람은 그의 자녀이며, 그리스도는 모든 인류를 위해 존재하는 존재입니다.

그러므로 본질적으로 중요한 것은 이런 지혜와 평화를 찾아보고, 주어진 상황에 대한 지침을 구하는 것입니다. 그 지침이 오면 현재 상황의 진실을 드러낼 것입니다. 그리고 그 평화가 인식되면, 그것은 무리를 진정시키는 힘을 가져올 것입니다. 이런 지혜와 평화를 통해, 우리는 자신의 문제를 극복하고, 더 나은 삶을 위한 길을 찾아갈 수 있습니다.

여기에 아마도 인간의 삶에서 가장 심오한 비밀이 있을 것입니다. 이것이 바로 앞의 장에 함축된 위대한 진리입니다. 인간은 이중적인 존재입니다. 인간은 외형적으로 성공하거나 실패하는 것처럼 보이는 존재만이 아닙니다. 진화와 적응의 비밀, 육체적-지적 노동의 기술, 낙관적-비관적 기분의 비밀을 외면적으로 터득하는 존재는 인간만이 아닙니다. 그리스의 이상적인 자아실현을 보여주는 완전한 인격역시 전부가 아닙니다. 이 모든 것을 도구로 사용하는 자아, 현세에서 혼자 사는 것이 아니라 영원에 사는 자아, 그리스도의 형제이자 하나님의 자녀인 자아가 내면에 있습니다.

내면의 자아를 발견한 사람은 상대적 또는 외적 성공에 대한 모든 꿈을 뛰어넘어 더 크게 성공할 수 있습니다. 그는 모든 진화의 내부와 배후에서 움직이는 것에 자신을 적응시킵니다. 그는 두뇌와 근육의 리듬보다 더 미세한 리듬으로 일합니다. 그는 병에 걸리지 않은 사람은 꿈꾸지 않는 자원을 가지고 있습니다. 그는 깨달음을 얻지 못한 사람을 압도하는 조건을 이기는 데 성공합니다.

폭동과 이기심의 물결이 밀려와도 그는 동요하지 않습니다.

그는 침착하고 자신감 있게 모든 대립 세력을 초월합니다. 의심과 고통과 슬픔의 모든 순간에 그는 도움의 근원을 똑같이 인식합니다. 그는 반대 세력에 굴복하는 것은 물살에 휩쓸려가는 것임을 알고 있습니다. 그는 한 치도 양보하지 않습니다. 그는 낮은 것과 단절하고 더 높은 힘의 흐름에 자신의 영혼을 엽니다. 그러면 밑에 있는 모든 것은 무력해집니다. 낮은 것은 몸부림치고 분노할 수는 있어도 벗어날 수는 없습니다. 결정적인 순간은 낮은 곳에서 높은 곳으로 올라가는 것, 단순히 인간적인 것에서 신의 인도와 지지를 받는 것으로 전환하는 것이기 때문입니다.

12장.

행동의 비밀

인간 존재를 궁극적으로 사유의 삶으로 여기는 것은

오랜 전통이었습니다. 모든 이상주의는 이 가정에 기반을 두고 있습니다. 그것은 많은 인기 있는 이론의 기초입니다.

그러나 점차적으로 결론은 변화하고 있어서 현재는 활동을 동등하게 기본적인 요소로 포함시키려는 경향이 있습니다. 이 결론은 우리의 목적에 중요한데, 에머슨이 우리에게 말한 중요한 전환, 즉 사유에서 행동으로의 변화을 조명하기 때문입니다.

잠시 생각해보면 신념이 행동에 영향을 미칠 수도, 그렇지 않을 수도 있다는 것을 알 수 있습니다. 설교가 한 귀로 들어가 다른 귀로 효과적으로 흘러나갈 수 있는 것처럼, 많은 다른 생각들도 행동에 이어지지 않으면 무력화될 수 있습니다.

누군가는 "두려움은 질병의 척추이다"라고 말했습니다. 그러나 모든 것은 공포와 함께 오는 감정에 달려 있습니다. 감정이 파괴력을 발휘하는 것입니다. 두려움이 반드시 질병을 일으키지는 않습니다.

사회주의나 베단타 철학에 대해 생각하고 있다 하더라도, 핵심적인 고려 사항은 어떤 생각들 중 하나가 행동의 지표로 선택되느냐입니다. 그 사람이 에너지를 너무 빠르게 소비하고 있다면, 사회주의나 베단타도 그를 과도한 신경과로의 붕괴로부터 구해주지 못할 것입니다. 그러나 그의 종교가 그에게 평화를 주었다면, 그것은 새롭고 균형 잡힌 인간을 구축할 수 있는 유리한 기반이 될 것입니다.

만약 우리가 단순히 기계적인 존재라면, 차분하고 안정적인 교리가 뜻한 것은 평온하고 조용한 삶이었을 것입니다. 기계는 주어지는 명령대로 일관된 행동을 보이기 때문입니다. 그러나 현실세계에서 우리는 다르게 존재하고 있습니다. 우리는 종교적인 교리나 다른 형태의 교리들이 우리의 삶을 어지럽히는, 끔찍하고 무서운 경고를 내뿜는 것을 항상 마주하고 있습니다. 이는 우리의 삶이 단순히 기계적으로 운영되는 것이 아니라는 것을 보여줍니다. 이러한 상황에서 우리의 의지는 중요한 역할을 합니다. 의지는 결정을 내리는데 필요한 핵심 요소이며, 이러한 결정들은 때때로 과도한 행동을 유발할 수도 있습니다.

이상은 우리가 진화하는 과정에 있어서 가치있는 요소이지만, 결국은 동적인 깨달음이나 잠재적인 깨달음이 좀 더 강력한 요소입니다. 예를 들어, 전속력으로 달리고 있는 상황에서 "평화로워라"라는 구호는 일정 부분 도움이 될 수 있습니다. 하지만 만약 우리가 내면의 힘을 차단하게 된다면, 마치 기관사가 기차의 스로틀을 잡고 증기를 차단하는 것처럼, 그 빠른 속도를 조절하거나 정복할 수 있습니다. 우리의 영혼은 생각, 의지, 행동에 모두 중추적인 역할을 합니다. 생각은 피상적일 수 있고, 의지는 때때로 약할 수 있지만, 생각을 행동의 목적으로 정하게 되면 결과는 필연적으로 따라옵니다. 따라서 영혼의 새로운 동적인 태도가 행동의 비밀을 풀어줍니다.

인간은 본질적으로 행동하는 존재입니다. 이 사실을 우리는 기억해야 합니다. 인간은 단지 생각만 하는 존재가 아닙니다. 그는 자신의 자아를 발전시키는 수단으로서 생각에만 국한되어 있지 않습니다. 그는 힘을 잡고, 실로 중심에서 손을 뻗어 갈 수 있습니다.

우리의 한 손으로는 작은 공간을 잡을 수 있습니다. 그러나 이는 마치 기차의 스로틀을 조절하는 것처럼, 거대한 기계를 조절하는 능력을 가지고 있습니다. 비상한 상황에서 속도를 줄이거나 높일 수 있는 사람은 감정의 희생자가 두려워하는 것에 대해 웃음을 지을 수 있는 엄청난 힘을 가지고 있습니다. 이는 결국, 인간이 단순히 기계가 아닌, 생각하고 행동하는 존재임을 보여줍니다.

이 작은 영역, 즉 우리의 '중심'은 우리의 정신적인 삶과 육체적인 활동 양면의 핵심이 되는 공간입니다. 이 중심이 평온함을 유지하면, 마음 전체가 고요함을 찾을 수 있습니다. 이는 마치 평온한 호수의 수면이 그 아래의 생명체들에게 안정을 주는 것처럼, 우리의 정신과 육체에게도 동일한 효과를 줍니다.

우리 몸의 여러 기능들, 예를 들어 혈액순환, 호흡, 소화기관의 작동 방식 등은 이 중심에 크게 영향을 받습니다. 중심이 제 역할을 잘 수행하면, 이러한 기능들도 원활하게 동작하게 됩니다. 따라서 중심을 잡는 것은 실질적으로 체온을 조절하고, 질병의 가능성을 줄이는 방법이 될 수 있습니다.

질병을 정복한다면, 이는 우리의 열정, 즉 감정을 정복하는 것과 같습니다. 중심이 잘 조절되면, 우리의 감정조차도 통제 가능해집니다. 이는 심지어 생사의 결정권을 우리의 손에 넣는 것과 같습니다. 이 말이 너무 극단적으로 들릴 수도 있지만, 이론의 모든 부분을 철저히 검증하지 않았다면, 이렇게 말하지 않았을 것입니다.

이를 이해하는데 도움이 될 비유를 들어보자면, 기관사가 기차의 속도를 줄이는 것처럼, 한 사람이 자신의 삶을 의식적으로 구원하는 것과 같습니다. 그는 자신이 무엇을 말하는지, 그리고 그 말의 중요성을 알고 있습니다.

위대한 비밀은, 우리의 감정과 생각을 통제하는 힘의 중심으로써 영혼을 소유하는 것입니다. 이는 단지 정신적인 상태보다 더욱 깊고 깊은 상태를 의미하며, 이 상태는 생명력이 넘치는 공간입니다. 마음과 몸이 악을 향하더라도, 이 중심인 영혼은 모든 것을 선을 위해 이끌 수 있습니다.

따라서, 우리의 감정과 생각을 대조함으로써 이 큰 진리, 즉 우리의 중심의 중요성을 좀 더 깊게 이해해보는 것이 중요합니다.

우리는 어떻게 세상과 접촉할까요? 생각을 통해서일까요? 저기 있는 나무를 만지면 만지고 있다고 생각하나요? 돌에 부딪히면 아프다고 생각하나요?

아니, 당신은 그것을 느낍니다. 무엇을 생각하든, 당신은 생각과 의지에 독립적인 세상에 존재한다는 것을 느끼게 됩니다. 당신은 생각할 때가 아니라 행동할 때 그 세계와 가장 가까이 접촉하게 됩니다.

그렇다면 가장 현실적인 세계는 감정의 세계입니다. 우리의 모든 고통, 기쁨, 사랑은 이러한 성격의 것입니다. '느낌'이라는 용어는 지저분한 감각에서 가장 높은 수준의 종교적 감정까지 모든 것을 포괄합니다.

감정은 활동에서 솟아나고, 그 결과로 다시 활동을 생성합니다. 이는 삶을 유지하고 존재의 의미를 찾는 데 있어 필수적인 요소입니다. 만약 이것을 빼앗긴다면 우리는 존재하지 않을 것입니다.

우리가 삶에서 가장 소중히 여기는 것은 느낌이며, 우리를 사랑하고 하나로 묶어주는 것, 우리가 가장 진심으로 노력하는 것, 우리가 해석하려는 노력에 기본이 되는 것입니다. 감정 없이는 영적인 삶은 아무것도 아닙니다.

또한 느낌은 우리가 태어나는 순간부터 존재하며 직접적이고 즉각적입니다. 반면 생각은 간접적이며, 시간이 지나면 역사로 남습니다.

우리는 한 순간에 몇 년 동안 이해할 수 있는 것보다 더 많은 것을 느낄 수 있습니다.

생각은 모방이며 느낌을 대신합니다. 생각은 사물 자체가 아니라 추상적인 것이며, 느낌의 단계, 이미지, 공식 또는 부호입니다.

과학적이고 이론적인 관심사에서는 종종 이 구별을 잊어 버리기 쉽습니다. 우리는 아이디어와 논쟁에 너무 몰두한 나머지 상징을 상징화합니다. 심지어 단어 때문에 싸우기도 합니다.

우리는 사실과 거의 관련이 없는 추상적 개념을 실재하는 것처럼 옹호합니다. 우리가 인위적인 성장과 개혁 방법을 구체적인 것 대신으로 대체하는 것도 이상한 일이 아닙니다. 조금만 현명하게 성찰해 보면, 우리가 진정으로 달성하고자 하는 것은 힘과 자신을 조화시키고, 특정 활동을 배양하고, 다른 사람들을 죽게 내버려 두는 것임을 알 수 있습니다. 우리는 지성에 도움을 요청하지만, 이해한 후에는 행동을 시작해야 합니다.

느낌은 힘에 대한 의식이며, 행동하고 행동에 따라 행동하는 것입니다. 영혼은 느끼고 반응하는 것과 더불어 존재하는 것 중에서 가장 깊은 영역입니다.

우리가 행동하는 것은 느낌을 통해, 즉 영혼이 저항을 극복하고 새로운 힘의 방향을 가속화하거나 세울 때 우리는 행동합니다. 일을 하는 것은 생각이 아니라, 역동적인 태도로 나타나는 명령입니다. 생각은 선택한 목적에 대한 그림이고, 행동은 그 목적을 위한 수단입니다. 나는 창가에 앉은 채 저 언덕을 걷고 있다고 생각할 수 있습니다. 그곳에 가고 싶어할 수도 있습니다. 그러나 앉은 자세의 관성을 극복하는 활동을 시작할 때 비로소 그곳으로 움직이기 시작합니다.

그러나 감정과 생각의 상대적 가치를 구별하는 것은 감정적인 삶을 주장하는 것과는 거리가 멉니다. 감정은 대개 피상적이고 일시적이며 갈등을 일으킵니다. 감정에 지배당하는 사람은 변덕스러운 감상주의자입니다. 그는 균형과 정신이 부족합니다.

모든 감정과 사고를 뛰어넘는 것은 느낌의 대안을 구별하고, 더 미묘한 감각의 질을 발견하는 것입니다. 이 미묘한 상태는 영적이고, 직관적이며, 사랑으로 구성되고, 지혜에 의해 교육되고, 영혼에 의해 작동합니다. 그것은 시행착오를 거쳐 검증되었습니다. 경험과 사색을 통해 깊어졌습니다.

영혼은 직관으로 하나님을 압니다. 영혼은 자신과 세상의 존재를 동일한 습관적이고 즉각적인 관계를 통해 알고 있습니다. 그 사이에는 공간이 없습니다.

영혼은 그에 작용하는 힘과 영혼이 통제하는 힘과 유사한 즉각성을 갖습니다. 따라서 새로운 역동적 태도를 취한다는 것은 영혼이 이러한 힘들과 새로운 직관적인 관계를 맺는 것입니다.

영혼은 사실 수동적일 수도 있고 감정이나 생각에 굴복할 수도 있습니다. 그러나 지금은 영혼이 수용적일 뿐만 아니라 어떤 감정이나 생각을 행동으로 이끌 것인지 결정하는 더 높은 과정에 대해 말하고 있습니다.

생각은 더 깊은 에너지에 인상을 줄 수 있을 만큼 충분히 오래 머물러야 역동적으로 변할 수 있습니다. 이 결과는 중심을 잡고 균형을 되찾음으로써 이루어집니다. 이는 신체적인 감각과는 관련이 없지만, 그 배후에 있는 힘과 협력함으로써, 또는 그 아이디어가 마음에 깊게 자리 잡아서 무의식적으로 생명력을 그 실현에 헌신할 때 이루어집니다.

이상은 새로운 임무로 보내질 때 에너지가 모이는 초점입니다. 이것은 주의를 집중시키고 영혼은 그것에 집중함으로써 새로운 역동적 태도를 취합니다. 역동적인 깨달음 없는 제안은 효과가 없을 수 있습니다. 그러나 균형과 평화, 평정의 중심은 지나가는 생각이나 감정에 관계없이 지속적이고 확실한 힘의 원천입니다.

그래서 평온하고 자기 통제력 있는 사람은 다른 사람들이 실패하는 곳에서도 성난 군중을 마주하고 정복합니다.

성난 군중은 통제되지 않은 감정에 휘둘리며 구성원 각각이 폭력적인 힘의 희생자입니다. 물론 잘못된 생각도 한몫을 합니다. 올바른 생각을 전달하는 것은 폭도들을 달래는 것입니다. 그러나 사람들이 자제력을 가졌다면 폭도의 희생자가 되지 않았을 것입니다. 진정시키는 작업에서 모든 것은 올바른 생각을 제시하는 방식에 달려 있습니다. 승리를 가져다주는 것은 평온함입니다. 무법적인 사람은 진실을 전달하더라도 분노하는 무리를 진정시킬 수 없습니다.

무리와 싸우는 사람은 에머슨의 표현을 빌리자면, "만나기 위해 내려가기" 때문에 실패합니다. 그는 힘에는 힘으로 맞서는 것처럼 반격합니다. 무법천지인 군중에게는 무력이 아닌 다른 방법을 사용해야 합니다. 더 높은 차원으로 올라가야 합니다. 자연스럽게 폭력으로 표출될 힘을 평화로 발산해야 합니다.

따라서 에너지의 변환이 비밀입니다. 이것이 모든 전쟁에 대한 치료제입니다. 자기 충동을 다스리는 사람은 누구나 승리합니다. 조화롭게 조율된 사람은 다른 사람들이 자기 통제력을 갖도록 도울 수 있습니다.

더 높은 차원으로 향할 수 있는 사람은 한때 무정부주의적 제안에 반응했던 것처럼 무리를 움직일 수 있습니다. 그러나 그 영역에서는 영혼의 힘이 훨씬 더 큽니다. 그것은 모든 이해를 초월하는 평화의 영역입니다.

그러므로 대안은 두 가지 수준에서 두 개의 흐름으로 간주되어야 합니다. 영혼은 낮은 수준에서 높은 수준으로 올라갈 수 있으며, 악을 만들어내는 동일한 힘으로 선을 만들어 낼 수 있습니다.

낮은 수준의 흐름은 증오, 질투, 복수, 이기심, 분노와 같이 좁아지는 형태를 통해 흐릅니다. 높은 수준의 흐름은 동정, 용서, 사랑, 이타주의, 자비로 넓어집니다.

두 수준 모두 생각과 감정이 그 역할을 합니다. 그러나 영혼은 모든 사람에게 공통적이며, 느낌과 생각, 감정과 감정을 비교하여 상승과 하강을 통해 힘의 비밀을 배웁니다.

예를 들어, 느낌과 생각은 상호 보완적입니다.

생각은 느낌을 명상하고 한편으로는 열정, 일시적인 감정, 일시적인 평형감각의 상실을, 다른 한편으로는 신성한 교감에서 비롯되는 더 높고 섬세한 감정을 구별하는 법을 배웁니다. 영혼은 이러한 명상을 통해 유익을 얻고 감정을 조절하는 데 진전을 이룹니다. 경험이 깊어짐에 따라 이러한 철학적 명상과 감정에 대한 승리가 결합된 더 높은 상태가 형성됩니다. 이 상태는 느낌과 생각의 양쪽에서 공급되며, 이제 더 고상한 생각과 더 고상한 행동으로 표현됩니다. 따라서 감정과 생각은 상호 번식하여 어느 하나만으로는 불가능한 일치를 만들어냅니다.

내가 영적인 평온이라고 부르는 힘의 조화는 직관과 이해의 결과입니다. 우리는 우리의 힘과 그 힘의 법칙, 상대적 가치를 알아야 합니다. 그리고 이 지혜를 바탕으로 그 힘의 점진적 발전에 따라 이끌려야 합니다. 안다고 해서 반드시 행동하는 것은 아닙니다.

행동한다고 해서 항상 현명하게 통제할 수 있는 것도 아닙니다.

조화롭게 조율된 개인은 남성적이면서도 여성적이고, 이성적이면서도 직관적이며, 긍정적이면서도 수용적입니다.

승리의 절반은 자신이 통과하고 있는 상태에 대한 올바른 지식입니다. 나머지 절반은 새로운 힘의 적용에 따른 진화적 변화를 적절히 인식하고 적응하는 태도를 보이는 것입니다.

따라서 그 과정은 내적 삶의 보완적인 단계 사이에서

적절한 조정을 통해 영적 조화로의 꾸준한 전진으로 축소됩니다. 이상적인 것은 인생에서 진정으로 추구할 가치가 있는 다양한 목적들 사이에 시간과 에너지를 적절하게 배분하는 것입니다. 이는 평정심과 유기적 리듬 사이의 조정입니다. 그것은 내면과 외면, 개인과 사회 사이의 조화입니다.

모든 것에서 중요한 것은 중용입니다. 영적 발전에 대한 열정도 마찬가지입니다. 이는 행동과 휴식의 조화로운 삶입니다. 모든 것은 유기적이고 상대적이며, 그렇기에 모든 것이 기여하는 것입니다. 이 지혜로운 활동은 철학에 의해 담담하게 균형 잡힌 경험의 결과이며, 종교에 의해 신성시되는 경험의 산물입니다. 이는 어떤 사람은 타고난 성질로 갖추고 있을 수도 있지만, 오늘날 그것은 깨달은 영혼의 최고의 업적입니다.

13장.

중요한 비밀

영적으로 고양된 상태가 신체에 어떤 영향을 미칠 수 있을까요? 감정적 변화와 마찬가지로 신체에 영향을 미칠 수 있습니다. 군중은 왜 동정심과 평화로 대면하면 반응할까요? 사람들은 더 큰 힘을 느끼고, 새로운 역동적인 태도가 나타납니다. 각 사람은 점차 평형을 되찾습니다.

한 사람이 군중 앞에서 성취할 수 있는 것은, 위급한 환경에서 동등한 기술로 최고에 이른다면, 내적 생명의 군중과 마주할 때에도 반복될 수 있습니다.

왜냐하면 영혼은 외적인 힘뿐만 아니라 내적인 힘의 소유자이며, 정신뿐만 아니라 육체와도 맞닿아 있기 때문입니다. 만약 당신이 조율이 잘 안 되는 사람이라면 당연히 몸과 마음의 평온을 만드는 힘을 갑자기 통제할 수 있으리라고 기대해서는 안 됩니다. 그러나 오랫동안 자신의 유기체를 훈련했다면 이미 성질과 내면의 동물뿐만 아니라 삶과 죽음의 힘을 가진 더 깊은 활동을 제어할 수있는 습관을 가지고 있습니다.

예를 들어, 여러 달 동안 뇌를 혹사시켰다고 가정해 보겠습니다. 그러면 뇌에 너무 많은 혈액이 흐르고 결과적으로 과도한 열이 발생합니다. 시간이 지나면 유기체는 더 이상 혼잡을 견딜 수 없으며 이 불필요한 열을 배출하는 과정이 시작됩니다. 이 과잉의 열은 목과 가슴으로 내려갑니다. 무지한 상태에서는 이를 심각한 감기에 걸렸다고 주장할 수 있습니다. 따라서 자신이 언제 감기 바이러스에 노출되었는지 기억하려고 하게 됩니다.

그리고 당신은 폐렴, 아마도 결핵과 죽음을 두려워할 것입니다.

바로 여기에 중요한 포인트, 결정적인 비밀이 있습니다.

이 문장을 신중하게, 반복해서 읽으십시오. 이는 모든 살아있는 영혼에게 귀중한 가치가 있는 진리를 전달합니다.

상황이 더 악화될 때, 두 가지 선택이 당신 앞에 열립니다. 고통스러운 감각에 갇혀서, 그 감각에 이름을 붙이고 불안한 감정이 일어나도록 허용하고, 의사를 부르고 약을 복용하면, 당신은 폐렴에 앓을 수 있고 죽을 수도 있습니다.

그러나 내가 말하는 귀중한 자기 통제력과 지혜를 소유하고 있다면, 몇 분 안에 생명의 흐름을 바꿀 수 있을 것입니다. 이러한 변화는 어떤 상황에서도 가능하며, 그 후에는 안전하게 생활할 수 있을 것입니다. 자연이 우리의 건강을 회복하기까지 몇 주가 걸릴 수 있습니다. 시간이 걸릴 수 있지만, 이 시간 동안 우리는 여유롭게 쉬면서 일상을 살아가며 건강을 회복할 수 있을 것입니다.

이러한 원칙이 증명되지 않았다면, 이런 주장은 터무니없는 소리로 들릴 것입니다. 그러나 이는 우리가 살인적인 폭도들을 마주하는 위기 상황만큼이나 심각하고 지혜를 필요로 합니다. 우리는 모든 자기 통제력을 동원해야 하고, 침착해야 하며, 신속하게 행동해야 하고, 에너지의 모든 원자를 아껴야 합니다. 이러한 상황에서 중요한 것은 순간의 균형을 잡는 것입니다. 이를 통해 순식간에 상황을 뒤집을 수 있습니다.

또한, 온도가 상승하고 두려움이 우리에게 인정을 요구할 때, 상황이 명백히 역전된다는 것을 인지하는 임계점이 있을 수 있습니다. 이러한 상황에서 다가오는 파도에 굴복하면, 우리는 즉시 통제력을 잃게 됩니다. 이러한 상황에서 고통을 생각하면, 우리는 그 안에 휩싸이게 됩니다.

현재의 순간에는 단 한 가지 해결책만 존재합니다. 그것은 분노에 찬 군중을 뒤로하고 가시적인 세계를 둘러싼 더 높은 차원의 세계로 마음을 돌리는 것입니다. 모든 믿음을 다시 한번 깨닫고, 평화와 안정을 찾아내며, 하나님의 사랑을 느끼고, 그리스도의 영감을 부르며, 그 모든 순간이 지나갈 때까지 차분하게 중심에서 머무르는 것입니다.

그렇다면 이 같은 방법이 다른 사람들에게도 적용될 수 있을까요? 네, 그렇습니다. 사실, 종종 이런 방법은 혼자서 문제를 해결하는 것보다 더 간편하게 느껴질 수도 있습니다.

어느 날, 신경증에 시달리며 죽을 것 같다고 생각한 환자의 침대 옆에 앉은 적이 있습니다. 그 여성은 평소에는 매우 명확한 통찰력을 가진 분이었지만, 그때 그녀는 감각의 바다에 깊이 빠져 어둡고 불길한 분위기에 휩싸였습니다. 그 상황은 내게 순간순간 큰 압박을 가했었습니다.

이 같은 경험은 마치 외줄을 타고 나이아가라 강을 건너는 줄타기꾼의 경험과 비슷했습니다. 나는 마치 두 나라 사이의 깊은 심연 위에 서 있는 사람 같았습니다. 나는 완벽하게 안정된 정신 상태를 유지해야 했습니다. 오른쪽이나 왼쪽으로 시선을 돌려서는 안 되었습니다. 감정이나 동정심이 일어나는 것도 허용해서는 안 되었습니다. 그 좁은 길을 건널 때까지 절대로 균형을 잃지 말아야 했습니다.

다 끝나고 나면, 아마도 다시 생각하고 주변을 돌아볼 수 있을 것입니다.

그렇지만, 그렇게 집중한 만큼 반응은 크지 않을까요? 아니요, 그렇지 않습니다. 이는 신경이 조절되는 것이 아니라, 그 뒤에 숨겨진 더 높은 힘, 즉 영적인 경험이 지속되기 때문입니다.

죽음과 직면하고 그를 정복하는 기회는 흔치 않습니다. 왜냐하면, 우리가 서로에게 믿음을 걸고, 그 믿음을 나눠 가지는 일이 그러한 경험을 가능하게 하는데, 이런 일이 쉽게 일어나지 않기 때문입니다. 그럼에도 불구하고, 자신의 내면에서 죽음을 여러 차례 극복해낸 사람들이 있습니다. 앞서 언급한 것처럼, 이것은 보통 매우 어렵습니다. 사람은 감각이 격렬하게 충돌하는 바다 가운데서 하늘의 평화와 휴식, 영원성의 평온을 느끼려면 놀고 있는 아이처럼 위험을 모르고 의식하지 않아야 하기 때문입니다.

이러한 상태를 경험한 사람은 분명하게 알게 됩니다. 물질적이든 정신적인 세계에서 어떤 힘보다도 훨씬 강력한 영적 영역이 실제로 가까이에 있다는 것을. 이것이 바로 인간의 내면에 숨겨진, 아직 발견되지 않은 힘의 존재를 알게 되는 순간입니다.

지금까지 그런 지배적인 존재를 느끼지 못하는 사람들에게는 이렇게 말할 수밖에 없습니다. 이것은 성장의 과정이며, 수개월과 수년간의 꾸준한 전진의 결실이며, 가장 최근의 순간에 가장 높은 인도에 충실한 결과입니다.

기본적으로 이는 습관에 대한 문제입니다. 감정의 구별과 통제, 평화와 평온의 측정된 성장, 그리고 직관에 대한 믿음의 증가, 그리고 그리스도의 더 큰 사랑. 이것들이 모두 습관의 문제입니다. 그러나 무엇보다도, 이것은 삶에서 가장 가혹한 경험이 기회를 주는 때에, 믿음이 완벽하게 작용할 수 있는 시간이라는 것입니다.

새로운 도전이나 경험은 내가 실질적인 삶의 본질, 사고하는 부분에 대한 이해를 더욱 깊게 하는 기회가 됩니다. 그것은 내가 어떻게 승리하고, 어떻게 패배하는지를 보여주는 기회가 됩니다.

이러한 요소들은 단순히 말로만 전달하는 것이 아니라 행동으로 보여주는 사람들에게서 더욱 뚜렷하게 나타납니다. 영은 문자보다 더 많은 것을 전달합니다. 그렇게 전달된 한마디는 힘을 지니며, 그것은 강력한 인상을 남깁니다.

말씀이 육신이 됩니다. 이것이 바로 치유하는 말씀입니다. 이는 저항을 극복하고 새로운 습관을 확립하는 힘이 됩니다.

뉴턴의 제1 운동법칙은 "모든 물체는 외부의 힘에 의해 그 상태를 바꾸지 않는 한 정지 상태나 등속도 직선 운동을 유지한다"는 내용을 담고 있습니다. 이 법칙은 현재 상황에서 깊은 의미를 가지며, 우리의 일상생활에도 적용될 수 있습니다. 습관이라는 측면에서 보면, 이 법칙은 매우 분명하게 드러납니다. 습관을 바꾸기 위해서는 새로운 동적인 태도를 가지고 저항을 충분히 극복하여 몸과 정신 에너지의 새로운 방향을 시작해야 합니다. 이렇게 새로운 방향을 설정하면, 외부의 힘에 방해받지 않는 한, 생명의 힘은 그 방향으로 계속 움직이려고 하는 경향이 있습니다.

따라서, 가장 중요한 것은 새로운 움직임을 시작하는 것입니다. 이 움직임을 통해 평화와 평온의 영역인 내면의 하늘나라를 찾는 것이며, 이 과정에서 필요한 모든 것들이 필연적으로 따라옵니다.

복잡하고 어렵게 생각하지 않는 것이 중요합니다. 현실적으로 접근하고, 추상적인 생각을 하지 않는 것이 좋습니다. 당신의 힘은 바로 여기, 당신 안에 있습니다. 당신의 영혼도 마찬가지로 여기에 있습니다. 심지어 하나님도 여기에 계십니다. 항상 대안이 제시되므로, 아플 때까지 기다리지 않아도 됩니다. 자기 통제와 성격을 형성하는 가장 간단한 일부터 시작하면 됩니다. 선택할 수 있는 것이 많습니다. 높은 것이나 낮은 것, 조바심이나 인내심, 미움이나 사랑, 분노나 용서, 자신이나 타인을 섬기는 것 등을 결정할 수 있습니다.

한번 결정하면 행동에 옮기는 것이 중요합니다. 그리고 그 결정에 굳게 서야 합니다. 힘은 계속 움직이려는 경향이 있으므로, 그 힘을 작용하게 두는 것이 중요합니다. 모든 승리들을 통해 자기 통제력을 얻게 될 것이며, 작은 승리들이 모여 큰 승리로 이어질 것입니다. 시간이 흐르면서 처음에는 불가능하다고 생각했던 것들을 마스터할 수 있게 될 것입니다.

14장.

개인적인 편지

괴로워하는 친구에게, 가장 친한 친구만이 할 수 있는

대화를 당신과 나누고 싶습니다. 당신이 겪고 있는 고난을 나는 아주 잘 알고 있기 때문에 지금 이 순간 그런 대화의 특권을 요청하고 싶습니다. 나도 지금 당신을 덮고 있는 난관 사이를 지나왔습니다. 나도 이를 잘 통과할 수 있을지 의문을 가졌습니다. 그러나 가장 어려운 순간에 동정적인 도움의 손길이 다가왔고, 한때 친구가 나를 도왔던 것처럼 나도 너를 도울 수 있을 것이라 믿습니다.

지금 왜 삶이 부담스러운지 이해합니다. 상황은 격렬하고, 당신이 감당할 것이 많습니다. 하지만 전적으로 당신 탓만은 아닙니다.

당신은 자신을 비하하고 낙담하는 경향이 있는데, 사실 당신은 스스로 알고 있는 것보다 훨씬 더 잘하고 있습니다.

당신은 의식하지 못하는 만큼 더 많은 능력을 가지고 있습니다.

잠시 생각해보세요. 당신이 얼마나 많은 것을 극복했는지 기억해보세요. 유산을 물려받았을 때 얼마나 슬펐고 얼마나 심각한 제약이 있었는지 떠올려보세요. 가장 골치 아픈 경향의 대부분은 이미 정복되었으며 당신은 감사할 것이 많습니다. 곧 당신의 노력의 결과를 거둘 것입니다. 지금 당신은 명확하게 볼 수 없는 과도기 상태에 있습니다. 더욱이, 당신의 신체 상태는 당신의 전체 마음 상태에 영향을 미치기 때문에, 때로는 당신이 자신을 비난할 때 잘못한 것은 신체 상태일 뿐입니다.

당신은 갈림길에 서 있습니다. 지금까지 당신은 주로 자기 자신을 위해 살아왔습니다. 당신은 매우 개인적이었고, 아직까지 그것을 깨닫지 못했습니다. 당신은 성급하게 화를 냈고, 항상 자신을 방어할 준비가 되어 있었고, 타인에게 책임을 돌리는 경향이 있었습니다. 당신은 불행하고 비관적이며 이기적이었습니다. 그래서 뿌린 대로 거두어 왔고, 세상은 무시무시한 시험장처럼 보였습니다.

이제 이 모든 것이 변하고 있습니다. 당신은 스스로에게 불만을 품고 있고, 고통 속에서 어느 길로 돌아서야 할지 모릅니다. 그러나 기억하세요, 당신을 괴롭히는 것은 당신이 지금까지 어떤 존재였는지이지, 미래의 모습이 아닙니다. 불만을 가지고 있다는 사실은 더 나은 자아가 승리하고 있다는 것을 증명합니다. 그 더 나은 자아에 집착하고 옛 자아는 죽게 두세요. 혹은 오히려 새로운 것에 생각을 기울일수록 낡은 자아의 힘이 변형된다는 것을 알아두세요.

마음 깊은 곳에서 당신은 이기적이지 않은 사람이 되기를 간절히 바라고 있습니다. 그러니 자신을 그렇게 생각해보세요. 마음 깊은 곳에서 당신은 사람들을 용서하고자 합니다. 그러니 상호 비난과 복수의 감정을 모두 떠나보낼 시간입니다.

만약 사람들이 짜증스러울 경우에는 어떨까요? 그들이 당신을 무시하거나 억압한다면 어떻게 해야 할까요? 그들을 용납하는 법을 배우세요. 그러면 그들이 훨씬 더 좋은 대우를 해줄 것입니다. 맞대응하는 것은 완전히 어리석은 일이며, 낙담하는 것은 에너지 낭비입니다. 자신을 존중하면, 다른 사람들도 당신을 존중할 것입니다. 온화하고 인내심 있게 행동하며 부드럽고 애정 어린 목소리로 말하면, 다른 사람들은 기꺼이 반응할 것입니다.

이 모든 것은 이기적인 태도와 이기적이지 않은 태도의

문제입니다. 당신이 겪는 모든 고통은 직접적으로나 간접적으로 이기심에서 비롯됩니다. 당신이 갖고 있는 모든 갈망은 자아를 버리고 찾아야만 이루어질 것입니다. 이것으로써 나는 모든 것을 말했습니다.

그런데 왜 더 반복하거나 말해야 할까요? 이해했다면, 모든 것이 해결됩니다. 그렇지 않다면, 아마도 분명히 설명하지 못할 것입니다. 각자의 영혼이 직접 보아야만 합니다. 하지만 안심하세요. 당신은 나의 가장 진심 어린 동정을 받을 수 있습니다. 나는 결과가 어떨지 알고 있으므로 믿고 있습니다. 나는 내 마음으로 당신에게 달콤한 친밀감으로 말하고 있습니다. 내 마음에서 당신을 돕는데 있어서 내가 할 수 있는 모든 것을 드리며, 이 말들과 함께 당신의 영혼에게 내 마음에서 쓰여지지 않은 메시지가 전달될 것입니다.

15장.

인격의 비밀

높은 파도를 타고 오르내리는 뱃머리의 상승과 하강을

지켜본 사람이라면, 현대식 대양 여객선이 오래된 증기선이 실패한 곳에서 어떻게 눈부신 승리를 거두는지 목격한 적이 있을 것입니다. 계속해서 다가오는 파도가 뱃머리를 덮치고 갑판을 휩쓸고 지나갈 것만 같지만, 결정적인 순간에 배는 위협적인 파도 위로 우아하게 솟아오르고, 지칠 줄 모르고 끊임없이 회전하는 프로펠러의 거품에 의해 물결은 선미로 빠르게 미끄러지며 그 웅장함을 잃어버립니다.

이렇게 여객선이 파도를 극복하는 고귀한 승리는 영혼이 겪는 또 다른 웅장한 승리를 대표합니다. 우리의 이런 예시에서, 부풀어 오르는 파도 아래로 가라앉는 증기선은 삶의 낮은 차원에서의 경험을 나타내고, 위로 솟구치는 여객선은 더 높은 자아가 성취할 수 있는 통제력을 상징합니다.

예를 들어, 어떤 젊은 여성은 여러 해 동안 가정을 떠나 어려운 환경에서 성장하게 되었습니다. 그녀는 부모님의 가르침을 받지 못한 채 혼자서 세상을 경험하게 되었습니다. 고향에서는 인내심이 부족하고 싸늘한 성향을 가지고 있었지만, 도시 생활의 더 큰 세계에서 그녀는 지적으로 강하고 상냥한 성격으로 성장했습니다.

그런 그녀가 집으로 돌아오면서, 한때 그녀를 갇혀있게 했던 옛 습관들과 마주치게 됩니다. 그녀를 괴롭히는, 거의 저항할 수 없는 유혹은 여전히 신경질적으로 되돌아가고 싶다는 것입니다.

오래된 습관이 바다 한가운데의 위협적인 파도처럼 그녀를 향해 밀려옵니다.

그 파도를 딛고 일어나 힘차게 앞으로 나아갈 수 있을까요, 아니면 바다 밑바닥으로 가라앉을까요? 모든 것은 그녀 자신에 대한 깊은 이해와 새로운 삶에 대한 그녀의 의지력에 달려 있습니다. 만약 그녀가 결정적인 순간에 예리한 자의식을 가지고 있다면, 그녀는 이렇게 말할 것입니다. "저것은 나의 죽은 자아이고, 저것은 예전의 나이며, 이제 나는 그것을 영원히 벗어났다." 이렇게 말하면서 그녀는 극복할 수 없을 것 같은 난관을 극복할 것입니다. 그러나 그녀가 과거의 충동에 굴복한다면, 그 파도는 그녀를 덮치고, 그녀의 새로운 삶은 완전히 늪에 빠지게 될 것입니다.

아마도 이 글을 읽는 대부분의 사람들은 비슷한 유혹에 직면하는 환경으로 돌아갈 것입니다. 거의 모든 사람이 어느 정도로든 굴복하게 됩니다. 대다수는 자신이 굴복하고 있다는 사실도 모른 채 더 깊이 빠져들게 됩니다. 악덕, 습관, 관습에 대한 모든 굴복은 비슷한 성격을 가지고 있습니다. 일상 생활의 많은 세부사항들에 대해서는 우리는 그 이유를 명확히 설명할 수 없을 정도로, 열정이나 사회적 충동의 물결이 우리에게 몰려와서 우리는 무력하게 그 아래에 물들어가게 됩니다. 더욱 안타까운 것은 사회가 각 개인을 종속시키기 위해 일정한 나이가 지나면 습관을 바꿀 수 없다고 주장함으로써 사회 구성원을 복종시키려는 음모를 꾸미고 있다는 것입니다.

이보다 더 잘못된 도그마는 없습니다. 우리 역사상 파도를 넘어서는 것이 불가능할 때 우리는 물속에 휩쓸린 적이 없습니다. 유일한 장애물은 대안에 대한 무지뿐입니다. 한 사람에게 자신이 잠재적으로 현대적인 여객선의 항해사가 될 수 있다는 사실을 알려주면 놀라운 변화를 목격할 수 있을 것입니다.

우리의 가장 큰 잘못은 시도하지 않는 것입니다. 잘못된 철학이 우리의 생명을 앗아갔습니다. 우리는 나약한 상태에서 우리는 점점 더 동물처럼 변해가고 있습니다. 사람이 얼마나 낮게 가라앉을 수 있는지! 내가 사람이라고 말했나요? 예, 아마도 잠재적인 사람일지도 모릅니다. 그러나 사람은 자신을 동물, 더 나아가 짐승으로 만들었던 것을 뛰어넘는 한에서 참으로 사람이 되는 존재입니다.

정신이 깨어 있고 예리할 때 얼마나 많은 것을 넘어설 수 있는지 놀라울 뿐입니다.

보통 사람들은 내면의 삶이 변하기 위해서는 환경이 변해야 한다고 생각합니다. 이것은 거의 모든 사회주의자와 개혁론자들 교리의 근본적인 결함입니다. 급진적 사회주의는 무자비한 기업 앞에서 영혼이 없는 겁쟁이들을 위한 장치입니다. 거지는 겁쟁이입니다. 일자리를 찾지 못한다고 불평하는 사람도 겁쟁이입니다. 원양어선이 파도를 타는 것처럼, 기회를 마주하는 사람은 오랫동안 일자리를 기다릴 필요가 없습니다.

가장 큰 잘못은 우리의 사회 시스템에 있는 것이 아닙니다. 물리적이든 사회적이든 우리 환경에 있는 것이 아닙니다. 가장 큰 잘못은 우리 자신에게 있습니다. 사람은 어떤 상황에도 대처할 수 있을 정도록 강한 의지를 갖추었을 때 세상은 그를 즉시 필요로 합니다.

대부분의 남자들은 몇 가지 악덕이 있어야 한다는 잘못된 생각으로 자라왔습니다. 그들은 자신 안에 항상 스스로를 더럽히고 망쳐야 하는 충동이 적어도 하나 이상은 있다고 생각해왔습니다. 많은 경우 여기서 문제가 시작됩니다. 한 번 넘어지면 다른 상황에서도 엎어지고 굴복할 가능성이 높아집니다. 결국 충동의 피조물, 습관의 노예가 되어버립니다.

여자도 마찬가지입니다. 그녀의 특징적인 약점은 잘못된 지점에서 양보하는 것입니다. 때로는 인생의 큰 바다에서 날씨가 고요하고 긍정적이지 않아도 될 때가 있습니다. 그러나 여성의 영광은 그녀의 약점이 아닌 강점에 있어야 합니다. 모든 여성은 자신을 노예로 유혹하는 파도를 탈 수 있는 힘을 가지고 있습니다. 모든 여성은 자신의 주인이 되려는 남성과 동등한 위치에 설 수 있는 힘을 내면에 가지고 있습니다. 계속 양보하고 굴복함으로써, 그녀는 스스로 일어서는 권리를 잊어버립니다.

억압받는 노동자나 아내 모두가 사회가 변할 때까지 기다리는 것은 비겁한 짓입니다. 사회가 발전하는 원동력은 무엇일까요? 그것은 기존의 조건을 견디기를 거부하는 사람들의 불가항력적인 움직임입니다. 실패라는 단어를 모르는 사람들의 활동입니다.

우리는 언제든 똑바로 서서 그 짐을 내려놓을 수 있는데도, 누군가가 그 짐을 덜어주기를 기도하며 한 주 한 주 끔찍한 짐을 지고 살아갑니다. 우리의 문제는 우리가 우리의 힘을 사용하지 않는다는 것입니다.

이것은 외부 상황에만 한정된 것이 아니라 우리의 신체적, 정신적 상태에도 해당됩니다. 우리가 겪는 아픔과 고통, 슬픔과 우울함의 10분의 9는 우리가 위로 올라가지 않고 그 아래로 몸을 피하기 때문에 계속 남아 있습니다. 우리의 모든 절망적인 상태는 대부분 천천히 찾아오거나, 최소한 출발 시점에서 우리가 경계하고 있었다면 평온하게 지나갈 수 있었을 정도로 천천히 찾아오는 것입니다.

우리는 아직 절반도 깨어나지 못했습니다. 우리는 많은 상황을 정복할 수 없다고 믿었고, 그래서 무기력하게 항복했습니다. 그러나 승리보다 조정이 필요한 상황은 더 적습니다. 질병은 언젠가는 완전히 정복될 것이며, 물리적 환경의 모든 장애물도 극복될 것입니다.

심지어 죽음조차도 10년, 20년, 때로는 50년까지 연기될 수 있습니다.

우리의 일반적인 잘못은 우리가 부정적인 측면을 너무 자세히 그리고 지속적으로 바라본다는 것입니다. 우리는 후회하고, 자신을 경멸하고, 절망에 굴복하고, 지나치게 자기 분석적이고 내성적이 됩니다.

현 시대는 도덕적으로 무력합니다. 우리는 옛날의 열정과 열정의 부활이 필요합니다. 우리는 모든 것이 저절로 바로 잡히기를 기다리면서 한심할 정도로 낙관적으로 성장했습니다. "신은 스스로 돕는 자를 돕는다." "시도하지 않으면 아무것도 얻을 수 없다."

불가지론은 비겁함입니다. 그것은 나약한 나태함입니다. 우리는 울타리 뒤에 누워서 현실에 대해 아무것도 알 수 없다고 불평합니다. 왜냐하면 그 너머에서 우리에게 오는 것은 틈새로 비추는 빛뿐이기 때문입니다.

그러나 급행열차를 타고 있는 사람에게는 틈새도 없고 울타리도 없습니다.

탁월한 인격의 사람은 불가능을 지배함으로써 성공을 이룹니다.

지혜로운 사람은 "알 수 없는 것"을 통해 하나님을 봅니다. 장애물은 부정적인 측면에서 본 가능성입니다. "알 수 없는 것"은 태양을 등지고 서 있을 때 드리워지는 인간 자신의 그림자입니다.

부정적으로 바라봤을 때 우리를 압도하는 것처럼 보이는 조건도 무기력에서 깨어나 가까이에서 보면 성공의 원동력이 됩니다.

에머슨은 "인간은 폐허 속의 신"이라고 말했습니다. 그러나 인간은 대지를 바라보는, 눈을 들어 태양을 향하는 것을 두려워하는 신입니다.

한때 신이었던 사람은 실제로 그 밑으로 떨어져 노예가 될 수 있습니다. 이 종속 상태는 몇 달 동안 지속될 수 있습니다. 영적으로 계몽되었던 사람도 육신에 둘러싸여서, 한때 영혼에 대해 이야기하던 자리에서 이제는 뇌와 신경에 대해서만 수다를 떨게 될 수도 있습니다. 그러나 그는 여전히 신입니다. 시기적절하지 않은 조언이나 영향력을 올바른 영향력을 가지지 못한 사상이 그를 넘어지게 만들었습니다. 한때 주인이었던 사람은 이제 열등한 자의 손짓과 부름을 받고 있습니다. 그는 승리할 수 있었던 자리에서 굴복했습니다. 쉽게 파도를 헤쳐 나갈 수 있었을 때 그는 지루함과 피로의 파도 속으로 떨어졌습니다.

이 기본적인 종속 상태는 비극적인 것입니다. 인생에서

가장 고통스러운 상황 중 하나는 굴복하지 않았더라면 승리의 길로 나아갈 수 있었던 사람이 강제로 게으름을 피우며 자기 자신이 되지 못하는 것입니다.

강자가 얼마나 깊은 나락으로 떨어질 수 있는지 놀랍습니다.

그러나 폐허처럼 보이는 곳에서도 신은 그곳에 있습니다. 한 번 얻은 지식은 결코 잃어버릴 수 없습니다. 한 번 얻은 힘은 결코 빼앗길 수 없습니다. 육체적 무능이 개입하더라도 영혼은 언젠가는 파도를 헤쳐 나갈 방법을 찾을 것입니다.

우리는 지식의 한계와 인간의 판단을 왜곡시키는 상황에 너무 쉽게 집착합니다. 때때로 거짓된 동정심을 가지기도 합니다. 때로는 육체적 감각이 영혼의 시야를 물들이는 것을 용납해야 할 때도 있을지 모릅니다.

우리가 경험하는 모든 것은 우리의 현재 발전 상태와 관련이 있다는 것을 알고 있어야 합니다. 교육과 신체 기관이라는 매체를 통해 우리가 세상을 본다는 것은 중요한 것입니다. 그러나 더 중요한 것은 우리가 이러한 조건을 거의 즉각적으로 초월할 수 있는 더 높은 힘을 가지고 있다는 사실입니다. 우리는 마음의 상태를 바꿀 수 있을 뿐만 아니라 신체의 의식을 뛰어넘을 수도 있습니다. 어떤 부분은 물밑으로 지나가야 할지도 모릅니다. 그러나 더 높은 자아는 그 위를 우아하게 건너갈 수 있습니다.

유전조차도 낮은 파도일 뿐입니다. 그것은 영구적인 습관이 될 수도 있고 아닐 수도 있는 경향입니다.

많은 운명의 흐름도 불운을 예고할 수 있습니다. 내 운세가 특정 시간에 재앙을 예언할 수도 있습니다. 낮은 수준에서는 별들이 보여주는 모든 것이 사실이 될 수 있습니다. 손금을 보는 관상가나 다른 주술사들이 예언하는 운명도 마찬가지입니다.

그런 예언을 믿는 것은 어리석은 일입니다. 그런 것들은 겁쟁이와 아무것도 하지 않는 자들의 장난입니다. 상공의 맑은 공기를 마셔본 사람이라면 누구나 별들을 무시할 수 있는 자원을 끌어올 수 있다는 것을 압니다. 배가 임박한 파멸에 휩싸일 것 같은 바로 그 순간, 그는 마치 작은 시냇물의 파도처럼 고요하게 그 위로 떠 오를 수 있습니다.

파도 타는 법을 배운 사람은 날씨의 징후에 신경 쓸 필요가 없습니다. 품성 있는 사람에게는 모든 환경이 유리합니다.

우리는 이상적인 날까지 연기하는 경향이 너무 큽니다.

깨달은 영혼에는 매일이 이상적인 날입니다.

예를 들어 책을 쓰고 싶은 사람은 조용하고 한적한 서재가 있어야 한다고 생각합니다. 수년 동안 나는 가장 소란스러운 환경에서 문학적 작업을 하는 것을 중요하게 생각했습니다. 겨울에는 가장 추운 날, 여름에는 가장 더운 날을 정복하고, 허리케인이 몰아치는 증기선 안에서도 노트를 가지고 철학적인 글쓰기에 몰입할 수 있다는 것을 알았습니다.

친구들과 함께 있을 때 내 신조를 유지하는 것이 쉽다면, 동정심이 없는 사람들에게도 시도해 보겠습니다.

책을 읽거나 설교를 들을 때 이의를 제기하지 않으면 마음은 게으른 상태에 있습니다.

체온계의 노예인 사람은 다른 많은 것들도 무서워할 가능성이 큽니다. 똑같은 날이라도 기분에 따라 유리하거나 불리한 날이 될 수 있습니다. "인생에는 흐름이 있다."고 하며 "상황이 사람을 만든다."라는 말도 있습니다. 그러나 사람이 준비되어 있을 때 스스로를 만들거나 망칠 수 있는 기회가 오는 것입니다. 수요와 공급은 동등합니다. 인생의 바다를 항해하는 동안 매 순간 파도가 다가옵니다. 가장 가까운 파도에 대비하는 사람이 지혜로운 사람입니다.

다른 작가들은 여기서 다루는 테마 외에도 다양한 인격의 비밀을 언급했습니다. 그러나 이쯤 되면 독자들은 여기서 다루는 주제들과 구별되는 본질적인 아이디어를 발견했을 것입니다.

도덕적이고 영적인 삶에 관한 아름다운 묘사가 풍부한 수많은 논문이 있습니다. 자제력에 관한 조언도 풍부합니다. 그러나 이론적 세계의 경계에서 멈추는 경향이 있습니다.

현재의 교리는 가장 구체적이고 탐색적인 행동을 요구합니다.

영혼에 작용하는 힘에 대해 알지 못하면 아무리 좋은 조언도 무익할 수 있습니다. 감정, 습관, 낮은 수준의 의식을 통제할 수 있는 방법이 없다면, 주관적인 세계로의 침투는 단순히 내성적인 사색으로 끝날 수 있습니다. 그러나 그 너머에 있는 힘에 대한 단서가 있다면, 수많은 사람들이 절망에 빠져 멈춰선 장벽을 통과할 수 있습니다.

여기서 다루지 않은 영적인 비밀도 많이 있습니다.

사랑에 대해서는 거의 언급하지 않았고 봉사에 대해서는 더 적게 말했습니다. 그리스도는 사람들이 원하는 만큼 자주 언급되지 않았습니다. 또한 개인이 주인이 아니라 기도와 그리스도의 달콤한 평화, 아버지의 세심한 보살핌에 의존하는 최고의 순간에 대해서도 쓰지 않았습니다.

그러나 각 독자의 삶이나 종교가 가져다준 가장 큰 선물은 우리가 통제할 수 있는 일부 행위에 대한 영감의 원천으로 간주됩니다. 내면의 눈으로만 보지 말고 객관적으로 바라보세요. 생각만 종교적이어서는 안 되며 행동도 종교적이어야 합니다. 어느 한 측면에만 종교를 적용하지 말고, 유기적으로 종교적이어야 하며, 삶의 어떤 기능도 생략되어서는 안 됩니다.

이 책은 그 방법의 연결고리를 제공함으로써 사상과 삶이 마침내 하나가 되도록 하는 것을 목표로 합니다. 그러므로 삶을 풍요롭게 하는 모든 것, 즉 잘 발달된 육체적 습관과 가장 영적인 이상을 보존하십시오. 하지만 그 이상으로 나아가세요. 경계를 확장하고 고귀한 실용성의 영역으로 넘어가십시오.

이 책에서 약속한 대로 인내와 절제, 믿음으로 승리하고 나면 봉사에 대한 새로운 열정을 얻게 될 것입니다.

당신은 동료들과 한 형제처럼 유대감을 형성할 것입니다. 당신의 존재와 삶은 말보다 더 큰 힘을 발휘할 것이며, 무질서한 사람, 슬픔에 잠긴 사람, 낙담한 사람, 고통받는 사람을 위한 메시지를 항상 전달하게 될 것입니다.

눈에 띄게 실용적이지 않다면, 어떤 사람도 진정으로 인격적인 사람이라고 여겨질 수 없는 시대가 다가오고 있습니다. 논쟁과 추측의 시대는 점점 사라지고 있습니다. 무자비한 충동과 무방비한 감정의 시대도 매일 죽어가고 있습니다. 인간은 개인으로서 자신을 통제하는 것으로부터 시작하고 있습니다. 이제 인간은 사회적 존재로서 스스로를 통제하기 시작할 것입니다. 사회생활의 모든 영역에서 우리는 놀라운 변화를 경험하게 될 것입니다. 질병은 정복될 것이며, 여러 형태의 고통도 함께 사라질 것입니다. 인간은 감정의 피조물이 아니라, 지금 우리 철학을 형성하고 변화시키는 감정의 주인이 될 것입니다. 그리고 미래에는 더욱 선명한 비전이 다가올 것이며, 이를 통해 우리는 진정으로 삶을 알기 위해서는 먼저 삶을 정복해야 한다는 확신을 갖게 될 것입니다.

때때로 영혼에 쏟아지는 그 숭고한 빛의 홍수에 대해, 그 뒤에 따라야 할 행동에 대해서는 쉽게 말할 수 없습니다. 그러나 우리가 헤어지기 전에, 그 눈부신 존재의 한 줄기 빛이라도 공유하여 우리가 설명할 수 없는 부분을 암시하고, 분류하는 것이 신성 모독이 될 수 있는 부분을 암시하며,

법칙이나 "비밀"을 밝힐 수 없는 부분을 숭배할 수 있도록
합시다.

16장.

영적인 법칙

완전히 통제할 수 없는 시간과 상황에서 최고의 감정과

통찰력이 알려지는 것이라는 사실은 영적 영역에 대한 최고의 증거라고 할 수 있습니다. 우리는 착각이라는 가설을 합리적으로 적용할 수 있지만, 우리와 직접적인 관계를 맺고 있는 영적 영역은 존재하지 않는다고 선언할 수밖에 없습니다. 또한 지금까지 우리의 경험은 의지의 힘 안에 있기 때문에 우리는 최고의 증거를 찾지 못했습니다. 그러나 우리가 예기치 않게 영이 자신의 존재를 알려 준다는 것을 고백해야 할 때, 우리는 진실로 더 높은 법칙이 있음을 인정할 수밖에 없습니다. 따라서 자발적으로 영을 찾고 지배하는 것은 영혼이 아니라 영혼에게 계시되는 영입니다.

그러나 우리의 보다 자발적인 삶을 고려하는 것에서 이 가장 높은 범위의 영적 통찰로 전환하면서, 우리는 자기

통제의 예술, 인격 형성의 예술과 일치하지 않는 어떤 것도 주장하지 않습니다.

단지 지금까지 중요한 역할을 해온 요소를 더 크게 부각시키고 있을 뿐입니다. 우리는 모든 예술을 갖춘 자아가 양육된 최고의 이상에서 영감을 얻은 성공의 기술인 자제력을 변형된 것으로 간주하고 있습니다. 특히 영혼이 질병과 죽음의 위협에 직면하는 중요한 순간에 이 영적 영역의 존재가 내포되어 있습니다. 이때는 자제력을 최대한 발휘해야 합니다. 그러나 그 너머와 그 위에는 가장 결정적인 순간에 영혼이 반드시 일치해야 하는 필수적인 것이 있으며, 이것이 없이는 이 위대한 승리를 얻을 수 없습니다.

이 장에서는 우리가 이 심오한 경험의 함의의 일부를 발전시킬 수 있는 몇 가지 방법을 제시하여 - 항상 부분적으로만 알고 있다는 전제하에 - 앞으로 다가올 일에 의식적으로 대비할 수 있도록 하겠습니다. 나는 우리 자신을 말하는 것인지, 육체적 활동을 말하는 것인지, 아니면 세련된 영적 본성의 어떤 특성을 말하는 것인지 알 수 없는 모호한 경험은 고려하지 않고 우리가 아버지라고 부르는 영들의 평화, 능력, 사랑, 지혜의 증거를 고려하는 것으로 제한하겠습니다. 나는 이러한 경험의 진위를 증명하려고 하지 않겠습니다. 그들의 성품이 증거입니다. 다른 것은 없습니다. 당신이 그 임재를 감지했다면 당신은 아는 것이고, 그렇지 않다면 모르는 것이니, 이것으로 모든 논쟁은 끝납니다.

그러나 나는 이러한 경험이 비합리적이라는 것을 암시하려는 것이 아니라, 그 존재를 느껴야만 그 이유를 분명히 알 수 있다는 것을 의미하고자 합니다. 이 상황은 물리적 세계에 대한 우리의 인식과 비슷합니다. 우리는 물리적 세계가 존재한다고 주장하지 않으며, 이를 통해 다른 사람에게 증명하기를 희망합니다. 우리는 자신의 존재를 인지하고 여기서 세상을 발견한다는 사실에 주목합니다. 우리는 마음속에서 자유롭게 생각을 조작할 수 있는 능력과 의지와는 상관없이 외부에서 오는 감각을 구분합니다. 예를 들어, 공상은 우리의 의지에 따라 현실과는 다른 비현실적인 경험이 될 수 있지만, 뜨겁거나 차가운 감각은 우리에게 강요되는 것입니다. 공상은 마음먹기에 따라 비현실적인 것으로 치부하거나 확대할 수 있습니다. 그러나 뜨겁거나 차가운 감각은 우리에게 강요됩니다. 이런 감각에서 벗어나려면 우리의 육체를 뜨겁거나 차가운 환경으로부터 철수시켜야만 합니다.

우리가 느끼도록 강요받는 감각에서, 우리는 궁극적이고

스스로 존재하는 실재에서 비롯된 세계 질서에 대한 개념을 발전시킵니다. 같은 과정을 통해 우리는 아름다움, 평화, 사랑, 지혜의 존재에 서 있을 때 결과에서 원인으로 논리적으로 추론할 수 있습니다. 물론 논리적 과정은 탄탄합니다. 현실을 반석의 궁극적 기초로 간주하는 것까큼이나 영적이라고 가정하는 데에도 충분한 이유가 있습니다.

나는 의지와 대조적으로 외부에서 어떤 의식 상태가 생겨나는지 알 수 있다는 사실에 주목했습니다. 우리가 영의 임재를 느끼는 경험에서도 동일한 대비의 법칙이 예시됩니다. 예를 들어, 어떤 사람이 현실적인 문제에 대한 불확실성에 빠져 있거나 궁극적인 원리나 진리에 대한 의문에 얽매여 있다고 가정해 봅시다.

이보다 우리의 유한성을 더 잘 보여주는 예는 없습니다. 우리는 투쟁하고 다투며, 의문을 제기하고 조언을 구합니다. 어려운 문제의 해답을 눈앞에 두고 있지만, 그 해답은 또 다른 해답에 달려 있고, 그 또 다른 해답은 또 다른 해답에 의존합니다. 모든 것이 혼란스러워집니다. 우리는 반대의 영향과 유혹에 시달립니다. 작은 문제에 대한 의심은 큰 문제에 대한 의심으로 이어지고, 결국 신이 우리를 인도해 줄 수 있는지 의심하게 됩니다. 우리는 진리를 의심하고,

신의 존재조차 반신반의합니다. 이러한 혼란은 때로 몇 달에 걸쳐 지속됩니다.

가장 어두운 시간, 전혀 예상치 못한 순간에 갑자기 하늘이 맑아지고 우리는 다시 한번 영광스러운 비전을 보게 됩니다. 그 변화는 놀라울 정도입니다. 의심의 어두운 색조가 초월적 통찰의 아름다운 빛과 그림자에 의해 반짝반짝 빛납니다. 다시 한번 영이 우리와 함께하고 있음을 분명하게 느낍니다. 다시 한번 확신과 평온, 신뢰로 가득차게 됩니다. 길은 너무나 분명하고 해결책은 너무나 간단해서 우리는 우리의 어리석음과 고통에 동시에 놀라게 됩니다.

이 영의 승리는 내가 설명하고자 하는 법칙이 적용되는 경험의 전형입니다. 깊은 곳으로 가라앉을 때 우리는 개인적인 자아가 얼마나 작은 존재인지 알게 됩니다. 그러나 영이 오면 우리는 우리의 믿음이 없음을 나타내는 사소한 의심과 비교하여 그 위대함을 깨닫습니다. 이에 비추어 볼 때, 우리는 다른 모든 영감의 원천이 미미한 결과에 불과할 정도로 자의식적 사고의 최고 경지를 뛰어넘는 지혜가 존재한다는 것을 알게 됩니다.

이것이 바로 영적 이상입니다. 우리가 지혜와 능력과 사랑의 근원에 가까이 살고 있다는 것을 이렇게 예리하게 정의된 경험을 통해 확신하게 되면, 삶의 모든 결과적인 행동이 영의 영감을 받을 수 있다는 가능성을 발견하게 됩니다. 하나님과 가까이 사는 것, 진리의 근원에 머물며 평화와 아름다움의 고향에 거하는 것, 그것이 이상입니다. 힘으로 말하고 움직이며, 앞에 놓인 모든 장애물을 뛰어넘는 것입니다. 이 목표를 어떻게 달성할 수 있을까요?

수용성은 분명 필수 요소 중 하나입니다. 우리는 경험을 통해 수용적이 되려고 노력할수록 종종 실패한다는 것을 알고 있습니다. 그러나 영원한 법칙에 따라, 의심 속에서도 아버지가 오신 것은 아마도 그 순간 우리의 유기체가 가장 적은 저항을 제공했기 때문일 것입니다. 그래서 우리는 적어도 무의식적으로 자신을 훈련할 수 있습니다. 우리는 언제든지 영이 계시될 것이라고 자신 있게 믿고 그에 따라 삶을 적응시킬 수 있습니다.

다시 말하지만, 영은 정말로 필요할 때만 임한다는 것이 분명합니다. 혼자서 노력하는 것이 더 좋지만, 우리는 인간의 자원에 의존해야 합니다. 개인적인 경험의 혜택을 받았을 때 길은 분명해집니다.

예를 들어 보겠습니다. 힘이 거의 없는 상황에서 영의 도움을 받기 위해 병자의 침대 곁으로 부름을 받았다고 가정해 봅시다. 도움을 요청하는 것은 헛된 일입니다. 사람은 과거 경험의 기억에 따라 함께 노력해야 합니다. 그러다가 결정적인 순간이 오면, 보라! 그 순간 특별한 힘의 감각을 느낍니다. 다른 때는 반드시 일해야 하고 모든 희망적인 동원해야 합니다. 이제 사람은 단순히 인간의 생각으로 얻을 수 있는 것보다 더 큰 결과를 만들어내는 도구, 즉 우월한 힘의 통로에 지나지 않습니다.

오해하지 마세요. 나는 우주의 위대한 영이 약자에게 특별한 관심을 가지고, 도구로서 당신이나 나를 선택한다고 말하는 것이 아닙니다. 그러나 이 높은 법칙에 따라, 더 큰 필요는 무의식적으로 더 깊은 수용성을 만들어내고, 영혼은 태양처럼 모든 곳에 빛을 퍼뜨립니다.

그러므로 우리는 더 큰 필요성이 발생할 때마다, 현명하다면 힘이 우리에게 주어질 것이라고 확신할 수 있습니다. 만약 우리의 손이 묶여 있다면, 아직 명확하지 않은 어떤 이유로 우리가 결정적인 일을 하는 것이 현명하지 않다는 것을 알 수 있습니다. 그러므로 우리는 신성한 계시를 믿음으로 기다릴 수 있습니다.

영적 비전을 준비하는 과정에서, 우리는 인간 본성의 다양성과 그에 따른 조정과 아름다움의 필요성을 상기해야 합니다. 사람이 더 높은 비전의 영광을 바라보면 예술적 이상을 잊기 쉽습니다. 따라서 그는 영적인 것을 특별한 이론으로만 강조하고 가르칩니다.

영적인 삶은 오직 그것만을 전파한다면 금방 지루해집니다. 가장 신실한 사람은 이론가가 아니라 조용히 살아가는 사람입니다. 진정으로 영적인 사람일수록 영성에 대한 이야기를 덜 듣게 됩니다. 영적인 사람은 자신의 가장 높은 감정을 내세우려는 경향이 너무 적기 때문에, 우리는 그를 끌어내고 그의 행동을 연구해야 합니다. 진정한 영성은 봉사의 삶, 평화의 성장, 사랑의 지배와 거의 무의식적으로 함께하는 것이기 때문입니다.

영적인 것은 마치 별개의 영적 특성이나 영역이 있는 것처럼 그 자체로 추구해야 할 목적이 아닙니다. 이상은 모든 행동을 고양하고, 모든 생각을 정화하고, 더 높은 의식을 모든 것에 담는 것입니다. 우리가 접촉하는 영적 영역은 가장 깊은 진실에서 모든 차원의 창조적인 삶입니다. 영적인 것이 멈추고 다른 것이 시작되는 지점은 없습니다.

모든 시대에서 영적 신봉자들의 경향은 삶이라는 거대한 전체의 좁은 부분만을 받아들이는 경향이 있었습니다. 오늘날에도 이러한 경향이 강합니다. 영적인 것은 여전히 모호하고 추상적인 영역으로 밀려나 있습니다.

광신도는 외적인 것, 육체적인 것, 사회적인 것, 예술적인 것을 경멸하며, 마치 그것들을 포함하지 않고 무시함으로써 우주를 속이고 영적인 존재가 될 수 있는 것처럼 생각합니다. 그래서 우리는 그를 불구자, 절름발이, 추한 사람으로 여깁니다.

예술가는 더 잘 알고 있습니다. 예술은 양극성을 지니고 있습니다. 해부학, 힘, 단순성, 빛, 음영, 원근법, 비율, 그리고 아름다움의 최고 이상을 표현하는 다른 모든 미세한 구분과 필수 요소를 종합적으로 고려합니다. 온건하고 철저합니다. 눈의 훈련과 내면의 완성 모두에 주목합니다. 아름다움은 전적으로 외적인 것도 아니고 전적으로 내적인 것도 아니기 때문입니다. 그러므로 거짓 선지자들에게 속지 않도록 너무 주관적이거나 분석적이거나 수용적이거나 너무 경계하지 마십시오. 그러나 지성을 경시해서는 안 됩니다. 지나치게 지적인 것보다 지나치게 감정적인 것이 더 불행한 일입니다. 지성은 스스로를 보호하지만 감정은 온갖 미묘함 앞에 굴복하기 때문입니다.

더 높은 감정에 자신을 온전히 내맡기지 않는 사람은 그 진정한 가치를 결코 알지 못하지만, 즐거움을 누리고도

추리하지 못하는 사람은 필요한 경험을 박탈당합니다.

마찬가지로 사람은 영적 성장에 있어 자신의 역할을 수행하지만, 당연히 제한된 영향력만 가질 수 있습니다. 많은 영적인 사람들이 제자로서 더 높은 삶을 시작합니다. 그러나 그가 스승에게 완벽함을 기대한다면 그는 불행한 것입니다! 사람은 너무 가까이 다가가지 않으면 흥미롭고 도움이 됩니다. 가까이 다가가면 환상은 사라집니다.

한계가 보이자마자 우리는 재빨리 외면합니다. 우리가 우상을 섬기지 않았다면 타락은 없었을 것입니다.

하지만 인물 숭배에도 교훈이 있습니다. 우리는 결국 모든 사람이 좋은 전문가가 되기 위해 결점을 가지고 있다는 것을 알게 됩니다. 한편으로 우리는 그에게서 배울 수 있습니다. 그는 특정한 관점에서 인생을 보았고 그 관점은 분명 유익할 것입니다. 그러나 그것은 수천 가지 중 하나일 뿐입니다. 그가 설명하는 것을 듣고 흡수한 다음 넘어가면 됩니다.

사람은 2차적인 존재입니다. 사람들을 쫓아다니는 한, 우리는 균형을 잃습니다. 사람이 우리에게 주는 것은 부차적인 것입니다. 오직 자연과 신에게서만 우리는 직접 배울 수 있습니다. 영적인 것은 모든 것에 비추입니다. 왜 사람

뒤에 서서 그를 통해 보려고 합니까?

오늘날 많은 사람이 진정한 이상을 추구하고 있다는 착각 아래 자기 중심주의까지는 아니더라도 이기주의를 키우고 있습니다. 따라서 개성이 아닌 기이함이 강조됩니다.

효과를 내기 위해서가 아닌, 오직 악기를 다듬은 사람들에게서만 영적인 영감의 말을 들을 수 있습니다. 메신저의 유기체와 그가 가져오는 진리의 달콤한 진리의 말 사이에 일치성이 있기 때문입니다. 그의 삶 전체가 같은 이야기를 할 때, 당신은 그가 말하는 것을 정말로 믿는다는 것을 알 수 있습니다. 그러면 그의 복음은 이론이 아닙니다. 그것은 생명이며, 힘으로 가득 차 있으며, 그 마음의 질과 영혼의 강조와 함께 오는 것입니다. 그것은 당신에게 그것이 진실하고 타협하지 않는다는 것을 보장합니다.

영을 위해 발언되는 메시지는 선을 행하기 위해 내뱉는 것이 아닙니다. 선을 행하려고 노력할 때 우리는 어떤 특정한 사람이나 집단을 염두에 둡니다. 그러나 세상에서 가장 큰 선을 이루는 것은 단순히 말할 말이 있었기 때문입니다. 예술은 예술 그 자체보다 더 높은 이상을 알지 못합니다.

수용적이고 편안한 상태가 되기 위한 '침묵 속으로 들어가기'의 수행조차 과도할 수 있습니다. 명상이 올바른 종류이고 당신이 찾고 있는 것이 무엇인지 안다면 명상은 가치가 있습니다. 하지만 과도해지기가 너무 쉽습니다.

확실히 대다수의 사람에게 있어 가장 좋은 방법은 예언자나 시인이 쓴 책을 한동안 읽어보고 어떤 문장이 마음을 울릴 때까지 기다리는 것입니다.

그런 다음 정확하고 철저하게, 그리고 여유롭게 창의적인 사고를 추구할 수 있습니다.

이러한 사고는 뇌를 맑게 하고, 능력을 날카롭게 하며, 전체 유기체를 다듬어 줍니다. 또한 균형을 유지하도록 이끌어냅니다. 왜냐하면 예술적인 사고이기 때문입니다. 마음은 해마다 날카롭게 성장합니다. 언어는 더욱 논리적으로, 생각은 더욱 순수하고 세련되게 변합니다.

정밀한 분석과 세밀한 윤리적 구별을 검토하는 것은 큰 전체를 파악하는 것만큼이나 중요합니다. 우주는 무한히 미세할 뿐만 아니라 무한히 크기도 합니다. 진정으로 알고자 하는 사람은 세부적인 것과 일반적인 것을 모두 알아야 합니다. 판단력을 기르는 것은 동정심을 키우는 것만큼이나 중요합니다. 모든 것은 더 낮고 더 높은 것이니, 판단력이 없으면 분류할 수 없습니다.

많은 스승들은 영적인 사람에게 앞만 보고 뒤돌아보지

말고, 긍정적인 면에 머물러야 하며, 결코 부정적인 면에 머물러서는 안 된다고 조언합니다. 우리는 건설적인 사람이 되라는 말을 듣습니다. 분석적이지 말라는 경고를 받습니다. 그러나 지성을 분석적이라고 배척한다면, 합리적으로 생각하면 균형을 유지할 수 있는 고려 사항을 정확히 놓쳐 버릴 수 있습니다. 분석을 거부하는 것은 우상 숭배의 토대를 마련하는 것입니다. 인간 본성의 역사는 사람들이 결함을 감지할 수 있을 만큼 충분히 깨어 있을 때 우상이 무너진다는 것을 보여줍니다. 우상 숭배는 일종의 수면과 같아서 감성을 무디게 하고 생각을 죽입니다. 질문하지 말라는 말을 들었을 때 경계해야 합니다.

건축할 기반이 없다면 어떻게 건축을 할 수 있을까요? 건물을 세우려면 기초를 넓고 깊게 다져야 하고, 재료를 신중하게 선택해야 하며, 치명적인 결함이 생기지 않도록 가장 비판적으로 검토해야 합니다. 더 높은 영역에서 시대를 위해 세울 수 있다고 말하는 사상과 감정을 조사할 때도 결코 대충할 수는 없습니다.

그러나 모든 것을 기꺼이 포기할 수 있어야 한다는 것은 영원한 진리입니다.

예술에 대한 이론, 형이상학, 사회 체제에 대한 당신의 주장을 고집하지 마세요. 모든 계획을 포기하고 어디든 집을 떠날 각오로 삶을 바꿀 준비를 하세요. 그러나 당신이 사상가, 예술가, 노동자를 봉헌했을 때, 당신은 이 모든 조각이 필요하다는 것을 알게 될 것입니다.

나는 영은 풍요로우며, 인간은 신성한 아름다움, 진리, 선함, 사랑을 표현하기 위해 풍요롭게 발달해야 한다고 주장합니다. 예술에만 헌신한 예술가는 자신의 방식으로 내면의 왕국을 찾았습니다. 그러므로 그가 당신에게는 의미없는 것을 필수적이라고 간주한다고 해서 그를 비난하지 마십시오. 궁극적인 원리의 체계를 완성하려는 철학자도 같은 신성의 손길을 느꼈고, 당신에게는 어둡고 우울한 것이 그에게는 밝고 영감을 주는 것입니다. 선한 사람이 유머러스한 사람에게 조롱받는 것은 유머러스한 사람이 선한 사람의 행동의 내적 의미를 모르기 때문입니다. 평범해 보이는 연인에게서 그토록 큰 가치와 아름다움을 보는 이는 그의 연인입니다. 오직 그 사람만이 연인의 마음속 깊은 성역으로 들어가 그녀의 흠 없는 영혼과 교류합니다.

중요한 것은 신성한 중심을 찾는 것입니다. 사람들이 그것을 발견하면 불평하지 마십시오. 각자가 자신의 방식으로 자신을 표현해야 한다는 것을 이해하세요.

결국 이기심은 대칭성의 결여입니다. 우리는 어떤 한 가지에 집착하면서 그것이 우리 것이 되기를 요구합니다. 우리는 하나의 감각에 몰두하여 고통을 겪습니다. 우리는 사람들에게 우리 뜻을 따르도록 강요하고, 그렇게 함으로써 그들을 훼손하고 타락시킵니다. 그러나 우리가 이기적이지 않을 때 우리는 똑바로 서고, 다른 모든 이들에게 똑바로 설 수 있는 자유를 부여합니다. 아무것도 탐내지 않으므로 모든 것을 갖습니다. 사소한 고통을 보살피려고 하지 않으므로 고통이 사라집니다. 그러므로 비이기심은 온전함입니다.

진정한 완전함은 자신을 넘어서 자신이 속한 더 큰 전체를 바라보지 않는 한 이루어질 수 없습니다.

이것이 궁극적으로 영적 진화의 법칙이 인간의 통제를 벗어나는 이유입니다. 그것은 마치 사랑을 화학적으로 분해하여 그 원리를 알아내려는 것처럼, 신성한 영감의 방법과 이유를 알고자 하는 비예술적 동기를 자극합니다. 그러한 동기는 단편적인 것일 뿐입니다. 진정한 임재는 전체입니다.

처음에 말했던 의심에 대해서도 같은 대조가 적용됩니다. 의심은 하나의 관점인 반면, 통찰은 다양한 관점의 총체입니다. 의심할 때마다 보았던 모든 것이 거기에 있지만, 통찰은 무한한 세계에 둘러싸인 식물이 햇빛 아래서 보듯이 바라보는 것입니다.

부정적인 시각으로 보면, 식물의 흡수능력은 매우 작아서 무력해 보입니다. 그러나 위에서 또는 주변에서 바라보면 아름답게 보이며, 관찰자는 한계를 생각하지 않습니다.

우리도 비슷한 상황에 처할 때가 많습니다. 영이 당신이나 나를 비추는 것이 불가능해 보입니다. 받아들이는 유기체가 신성한 빛을 변색시킬 것이 분명합니다. 우리의 두꺼운 두개골을 뚫는 데 성공한 작은 빛조차 우리에게 도달했을 때는 신성한 빛이 아닐 것입니다. 그래서 우리는 의심하고 논쟁합니다. 그러나 우리의 의식이 완전한 전체로 옮겨질 때 불가능한 것이 실현됩니다. 결국, 식물의 어떤 부분도 태양 광선의 힘을 느끼지 못하는 것은 없으며, 모든 장애물을 극복하는 것은 우리의 의심을 깨뜨리는 영의 업적에 비교하면 빈약하다 할 수 있습니다.

그러므로 유한한 생각이 떠오르면 그것을 추구하고, 그것이 찾아오는 대로 당신의 여유로운 시간을 채우게 하세요. 그러나 그것이 유한하고 비예술적이라는 것은 잊지 마십시오. 그대가 헛되이 찾던 연결의 법칙을 찾을 수 없던 이 파편들에서 위대한 예술가는 아름답고 평화로운 장면을 창조할 수 있으며, 그대는 그것을 경이로움으로 바라볼 것입니다.

하나도 부족하지 않고 너무 많지도 않아야 합니다. 이것이 바로 초월적 예술의 신비입니다. 그것은 모든 목적을 충족시킵니다. 그것은 신성하고 아름다우면서도 경제적이고 실용적입니다. 우주의 힘을 본받는 인간은 어떤 부분에서 완벽을 이루기 위해서는 모든 부분에서 완벽을 달성해야 한다는 것을 기억하는 것이 좋습니다.

그런데 지루할 부분과 전체에 대해 너무 많이 이야기한 것 같습니다.

마지막으로, 이러한 영적 원리의 사회적 측면으로 돌아가겠습니다. 진정한 본질은 우리에게 주어지는 것이지 우리가 억지로 획득하는 것이 아니라는 것은 사실이지만, 적어도 우리의 유기체를 훈련하여 최고의 작업을 할 준비가 되도록 할 수는 있습니다. 그리고 최고의 작업은 의심할 여지 없이 사회적인 것입니다.

두 사람의 아름다운 영혼이 함께하는 힘으로부터 더 큰 사회적인 힘이 탄생할 것입니다. 그리고 많은 남성과 여성이 진정으로 결혼할 때, 그들의 가정으로부터 전 세계로

누룩처럼 작용하는 힘이 퍼져나갈 것입니다. 이는 이전에 본 적이 없는 종류의 힘입니다. 이를 통해 최종적인 사회적 재생이 이루어질 것입니다. 사회적 상태에 영성을 심을 수 있는 것은 외부에서 할 수 없는 것과 마찬가지로, 왕국을 찾기 위해 먼저 약속된 것들을 찾는 것도 마찬가지로 불가능합니다. 모든 영성화는 내면에서부터 시작되어 중심에서 주변으로 나아갑니다. 이것은 영혼을 감동시키고 외적인 삶을 활성화하는 살아있는 힘입니다. 그래서 먼저 영혼에 다가가고, 영혼의 그룹을 감동시키며, 마침내는 대규모의 영혼에 이르기까지 힘이 가해져 저항할 수 없는 힘이 될 때까지 작용해야 합니다.

그러므로 진정한 사회적 삶은 예술적입니다. 그것은 사람에게서 아무것도 빼앗지 않으며, 그가 가진 모든 것을 더욱 아름답게 만듭니다.

따라서 오랜 옛날부터 선포된 위대한 영적 법칙은 남성과 여성이 더 큰 천국을 발견하는 한 반드시 뒤따라야 할 사회적 변화를 깨달을 때 새로운 의미를 갖게 됩니다. 개인의 평정심과 영에 대한 개인적인 비전은 더 큰 영적 생활의 시작일 뿐입니다.

인간이 진정한 사회적 존재가 되기 위해 멀고도 험난한

길을 걸어야 합니다.

영적 센터는 한때 세포가 성장하듯 모여서 성장하고, 인간 사회가 진정한 유기체가 될 때까지 성장해야 합니다. 지금 사회는 파편들의 집합체입니다.

우리의 의심이 전쟁을 일으키듯이, 인간과 국가는 서로 전쟁을 벌이며 일부가 전체 속에서 안식을 찾을 신성한 순간을 기다립니다. 그러나 우리의 의심이 마침내 해결되면 이 파편화된 남녀 집단도 하나로 합쳐질 것입니다. 이 조화를 이루기 위해 힘 중의 힘이 작용하고 있으며, 그래서 전진과 충돌이 일어나고 있습니다.

이 법칙의 보편성을 스스로 확신한다면, 이것이 모든 사람에게 적용된다는 것을 알아야 합니다. 일단 확신이 들면, 우리 각자는 그 법칙을 지적하기 위해 해야 할 큰 일이 있습니다. 왜냐하면 세상에서 그것을 인정하는 사람은 거의 없습니다. 예수님이 세운 규칙을 따르는 사람은 더욱 드물기 때문입니다.

대다수 사람들은 전문가이면서 편파적입니다. 진정으로 영적인 사람은 보편적이어야 합니다. 그래서 각각에 대한 실용적인 규칙은 이렇습니다. 당신이 어디에 있든, 누구이든, 이 보편성에 이르는 길 중 하나를 선택하십시오. 예술을 위한 예술, 진리를 위한 진리, 또는 봉사와 교육이라는 더 높은 이상을 추구하고 가능한 한 그 길을 따라가십시오. 언젠가 당신은 진정으로 하나를 추구함으로써 모든 것을 추구했다는 사실, 즉 아름다운 것은 선하고 윤리적인 것이며, 윤리적인 것은 예술적인 것이며, 진리는 아름답고 선하다는 기쁜 발견에 눈을 뜨게 될 것입니다. 더 나아가 어떤 부분, 어떤 기관도 그 자체로는 완전하지 않으며, 모든 것이 서로 의존하고 상호 도움이 되며, 아무 것도 절대적이지 않다는 것을 알게 될 것입니다. 이 모든 것을 찾고 싶다면, 이 영원한 조화의 일부가 되고 싶다면, 먼저 영, 창조적 생명, 순수하고 희고 고운 빛을 찾으십시오.

17장.

영혼의 메시지

당신에게 평화가 있기를! 평화가 깃들기를! 나는 모든 이해를 뛰어넘는 평화를 사랑과 지혜가 지배하는 저 영원한 세계에서 가져옵니다. 겸손한 영혼이지만, 자신을 자랑하지 않는 영혼이지만, 나는 더 높은 영역에 접근할 수 있으며, 영적인 언어로 말할 수 있는 입술이 침묵을 지키는 것은 극도로 불성실한 행동일 것입니다.

나도 당신과 마찬가지로 두 세계에 살고 있습니다. 나도 당신과 마찬가지로 두 개의 자아를 가지고 있습니다. 한 혀로 날씨, 최신 패션 또는 주식 시장에 관해 이야기할 수 있고, 당신도 표면적인 것에 대해 표면적인 이야기를 돌려줄 수 있습니다. 그러나 내가 천사의 혀로 말한다면 당신은 쉽게 반응하지 않겠습니까?

교만이나 소심함, 또는 관습에 대한 비열한 복종 때문이 아니라면 천사들처럼 말할 수 있는 경우를 얼마나 많이 지나쳤는지 아십니까?

한때 천사들이 지상에서 인간과 대화를 나눴다는 기록이 있고, 우리는 역사적으로 그것을 믿습니다. 하지만 오늘날 많은 사람들이 자기 내면에 있는 최고의 것을 말하기를 부끄러워하며, 어떤 이들은 차가워지고 불모의 땅이 되어버렸습니다.

우리 모두는 하늘에서 온 천사처럼 순수하고 결백하며 진실한 존재이지만 세상이 우리를 타락시켰다는 소문도 있습니다.

우리는 다시 어린아이처럼 되어야 한다고 합니다. 우리도 이론적으로 이를 믿습니다. 하지만 길을 알면서도 그 길을 걷지 않는 사람들이 많습니다.

그럼에도 불구하고 우리 각자는 지금 하늘의 천사입니다. 그 어떤 것도 우리를 신성한 사랑과 지혜로부터 분리시킬 수 없습니다. 그 무엇도 우리를 타락시키지 못했고, 영혼은 타락할 수 없습니다. 한 번 순수했던 영혼은 언제나 순수합니다. 영혼은 언제나 하나님의 천사입니다. 육체가 늙고 삶이 복잡해져도, 마음은 결코 덜 사랑하지 않습니다. 자만심과 환상의 미혹 뒤에 영혼의 믿음은 그 어느 때보다 굳건

합니다. 내면의 사람은 젊고 깨어 있는 만큼이나 진리에 대한 열정이 뜨겁습니다. 영혼은 결코 늙지 않으며, 실제로 육체의 석화 경향에 굴복하지 않습니다. 비록 몸은 흔들리고 시야가 흐려져도, 영혼은 태어난 날과 같이 똑바로 서 있고 직관적입니다. 우리는 우리의 깨끗한 순수성을 잃어버렸다고 생각할 수도 있고, 신을 믿지 않는다고 생각할 수도 있지만, 이런 절망이나 회의는 일시적이고 피상적인 것일 뿐입니다.

이것들은 오래되고 오래된 진리이지만 우리는 노예 상태에서 이를 잊어버립니다. 실제로 영혼은 기쁨에서 슬픔으로, 비애에서 황홀경으로 자유롭게 움직이며, 그저 가라앉고 지는 것처럼 보이는 곳에서 고요하게 관찰하거나 접촉할 뿐입니다.

환상은 영적인 것이 아니라 육적인 측면에 있습니다. 영혼을 가두어 놓을 만큼 깊은 고통이나 지긋지긋한 문제는 없습니다. 우리는 종종 육신의 짐에 짓눌려 영혼이 육신의 노예가 된 것처럼 느낍니다. 우리는 마치 이 몸이 영혼인 것처럼, 마치 우리 자신이 날씨, 음식, 돈이라는 존재인 것처럼 이야기합니다. 그러나 의식은 참된 인간에게서 빠져나온 것일 뿐입니다. 영혼은 자유롭게 살아가고 있으며, 곧 자신의 과도한 꿈을 이야기할 것입니다.

한편 지금도 아래의 꿈과 위의 꿈을 모두 의식하며 진정으로 살아가는 사람들이 있습니다. 그들이 보고 말하는 것은 아래 사람에게는 가식적인 거짓말이 됩니다. 진정으로 살아가는 이는 초월자입니다.

어린 시절의 근심과 불안 속에서 잠시 멈춰 서서 사람, 그리고 천사가 되어 보세요. 그러면 당신의 일부는 돌풍에 휩쓸리지 않는 것을 발견할 것입니다. 흐트러진 것은 표면일 뿐입니다. 열정과 두려움의 파도는 바닥에 닿지 않습니다. 지나가는 폭풍 아래에는 견고한 실존이 있습니다. 안개 위에는 아래에서 이야기하는 어린 아이 놀이를 웃을 수 있는 자아가 있습니다.

고요한 바다 깊은 곳으로 내려갈 수도 있고, 모든 것이 가볍고 투명한 높이로 올라갈 수도 있는데 폭풍에 휩쓸린다는 것은 얼마나 터무니없는 일입니까?

하지만 폭풍은 얼마나 무서운가요, 수천 명이 휘둘리고 휘둘리는 것이 얼마나 불쌍한 일인가요. 그들이 신음하고 울지 않나요!

맞습니다. 하지만 그것만 생각해야 할까요? 두려워하고 슬픔에 잠긴 자들과 섞여서 자신도 평화의 천사가 될 수 있다는 것을 잊어버릴 것인가요?

그러나 거기서 물러나면, 다시 돌아와도 폭풍은 여전히 격렬하고 나는 그 분노를 무력하게 바라볼 뿐입니다. 그렇다면 당신은 여전히 평화로운 곳으로 올라가지 못한 것입니다.

그곳을 지나 다시 돌아가는 것은 평화를 안고 강하게 정복하러 오는 것입니다.

그러니 함께 돌아서서 우리가 함께 찬란한 비전을 바라봅시다.

우리 주변에는 마음이 슬프고 사람이 더러워진 곳에서도, 시인이 노을을 바라보듯 육감으로는 보지 못하지만 영혼으로는 볼 수 있는 또 다른 세계가 있습니다. 그 세계는 친절한 운이 그것을 영적으로 드러내지 않은 사람들에게는 아무것도 아닙니다. 그 달콤한 평화를 느껴본 적이 없는 사람과 영원히 논쟁할 수도 있고, 시인과 음악가가 형체 없는 바위만 보거나 추악한 불협화음 외에는 아무것도 듣지 못하는 사람에게 자연에서 본 아름다움을 말하려다 실패하는 것처럼 실패할 수도 있습니다.

그러나 내가 말하는 것은 시와 음악만이 아닙니다. 지나가는 아름다움이나 조금씩 들리는 소리에 대해서만 말하는 것이 아닙니다. 나는 음악가와 시인이 본 숭고한 충만함에 대해 말하지만, 그들은 때때로 그 단편만을 표현했습니다. 또는 그들이 모방할 수 없는 선율을 들었을 때, 세상이 듣고 싶어 하는 것은 그들이 땅에서 표현하기에는 너무나 높고 깊은 음을 말하는 것에 불과하다고 할 수 있습니다.

모든 영감이 하나가 되는 곳이 있습니다. 영혼이 시와 음악, 사랑, 지혜, 평화, 아름다움으로 숨을 쉬는 숨겨진 공기가 있는 곳입니다. 그곳에서 모든 사람은 평등하고 하나가 됩니다. 하나의 영이 모든 사람을 만지고 각자가 원하는 대로, 또는 할 수 있는 대로 전합니다.

그러나 모든 영혼은 영적인 혀를 사용하는 순간이 있습니다. 모든 영혼은 그것을 이해합니다. 어떤 조건에서든 이해하지 못하는 척하는 것은 부질없는 일입니다. 우리의 영어와 팔리어, 산스크리트어와 독일어, 이것들은 생각을 감추기 위해 우리에게 주어진 것입니다. 이것들로 우리는 악의와 이기심을 키우는 장벽을 쌓습니다. 그러나 어떤 사람도 자신의 영혼을 숨긴 적은 없습니다. 어떤 이들은 볼 수 있는 눈이 없거나, 없다고 생각할 수도 있습니다. 그러나 비전은 반드시 존재합니다.

사랑과 평화로, 동정심으로, 당신은 어떤 사람에게든, 그의 후천적인 언어가 무엇이든 말할 수 있고 이해받을 수 있습니다. 이 형제 같은 혀는 아무도 후천적으로 얻은 사람이 없으며, 누구나 태어날 때부터 가지고 태어났으며, 모든 삶은 어느 정도 그것을 나타냅니다.

자기 자신을 내어주면 햇볕이 내리쬐는 하늘 아래 어떤 사람도 당신을 거절할 수 없습니다. 은사의 영에 이끌려 내면의 목소리를 듣는 사람은 의심하거나 다툴 수 없습니다. 의심하는 것은 자신을 의심하는 것과 같으며, 실제로 그렇게 하는 사람은 아무도 없습니다. 싸우면 자신의 심장을 치는 것이기 때문입니다.

그러나 우리가 가장 진정으로 혼자 있을 수 있는 그 영역으로부터 멀어질수록, 우리는 더욱 다르게 되는 것 같습니다. 우리의 인간다움의 이러한 기호와 상징들은 무한의 도구입니다. 각 사람은 자신이 어떤 의미에서 무한한 것처럼 느낍니다. 여기에서 우리가 단어를 사용하는 것처럼, 영원한 세계의 자원은 너무나 풍부하여 모든 것이 모두의 소유인 것처럼 보입니다.

다시 말하지만, 그 신성한 세계에 들어가도 나는 길을 잃지 않습니다. 횃불을 들고 거대한 동굴로 뛰어드는 것과 마찬가지로, 나는 여전히 진정한 나 자신입니다. 실제로

나는 그곳에서 살 때에야 진정한 나 자신이지만, 그럼에도 불구하고 나는 거의 아무런 중요성도 없는 것처럼 보입니다. 그 외의 시간에는 나 자신을 위장한 어떤 생각이나 감정이 올라오는 것뿐입니다.

잘 생각해보면, 우리의 단편적인 모습에 비하면 너무나도 찬란한 삶의 전체성이 존재합니다. 이렇게 통합되어 드러난 영혼이 무엇을 보는지에 대해 묘사하려고 한다면, 당신은 말로 표현할 수 없는 평화를 암시하는 얇은 광채만 보게 될 것입니다. 그러나 영혼이 본 것은 단순히 얇은 광채가 아니며, 그 위에 살았던 평화도 애매한 것이 아닙니다.

우리는 그 빛나는 광채를 지상에 거하기에는 너무 순수한 영혼과 연관시키거나, 오직 그리스도의 영광이라고 생각하도록 교육받아왔습니다. 그래서 우리는 변화된 영혼들을 볼 수 있었는데도 눈을 감았습니다.

지상에 살았던 사람들, 지금 이곳에 거하는 사람들이 어떤 빛나는 아름다움을 지니고 있는지 아십니까? 가장 가깝고 소중한 사람들의 천사 같은 모습을 상상해 본 적이 있습니까?

역사가 기록하는 희미한 행적은 이곳에서 흩뿌려진 삶의 일부에 지나지 않습니다. 기록되는 것은 대중의 관심을 끄는 행위들입니다. 또는 남자가 영광을 받지만, 실제로는 여자가 그 업적을 남겼을지도 모릅니다!

종종 여러 세대에 걸쳐 반복되는 것은 덜 중요한 부분입니다. 영혼의 승리와 고난을 증언할 기록자가 없었기 때문입니다. 그리고 한 남자나 여자가 혼자서 하는 것처럼 보이는 일은 존재하든 존재하지 않든 많은 영혼이 함께 하는 것일 수 있습니다. 상위세계에는 공간이 없기 때문입니다. 친근한 영혼들은 하나의 큰 가족을 이룹니다. 그래서 천재적인 남자와 여자가 "우리가 아니다! 우리가 아니다!"라고 외치는 것입니다.

그러나 빛나는 영혼은 드물지 않다는 것을 기억하십시오. 당신과 나도 겸손한 자세로 우리의 본성을 깨우칠 때 비로소 빛나는 존재가 됩니다.

미루는 것은 영혼의 도둑입니다. 우리는 어둠의 세력에게 간청하듯 빛나는 낮에 들어가지 않으려는 핑계를 대고 있습니다:

며칠만 더 있으면 악마가 될 수 있다고 하면서!

그러나 이것을 주목하십시오. 사람이 악마가 될 수 있는 유일한 방법은 내려가는 것입니다. 모든 사람은 천사이기도 합니다. 상위세계에는 악마의 원자가 하나도 없습니다. 마음속으로 모든 사람은 선해지기를 원합니다.

어떤 고위 성직자는 내가 인간에 대해 너무 좋게 말하는 것을 문제 삼을 것입니다. 그는 내가 죄의 흑암을 그려야 한다고 주장할 것입니다. 그러나 아아! 얼마나 많은 사람들이 검은 베일을 그리는 데 시간을 낭비하여 영의 밝음을 그릴 시간이 남지 않는지 생각해보아야 합니다!

나는 지금 인간의 생각을 기록하는 것이 아니라 영혼의 메시지를 전달하고 있습니다. 영적인 세계에서 영혼은 수천 수만 년을 거쳐 온 존재입니다. 그것은 한계 없이 미래와 과거를 바라보고, 그 광대한 영역에서 어둠을 본 적이 없습니다. 빛과 어둠은 여름과 겨울처럼 지상 발전의 계절이며, 저 세상의 편의입니다. 감각의 구름 위에는 모든 것이 빛이니, 신성한 광휘의 관점에서는 어둠의 골짜기가 보이기 때문입니다. 그 세계에서는 존재의 측면에서만큼 성장의 측면에서 사물을 쉽게 설명할 수 없습니다. 영혼은 단순히 빛이 되는 것이 아니라 빛 그 자체입니다.

이것은 역설적으로 보일 수 있습니다. 그러나 영적 세계는 동시에 성장의 기초이며, 모든 진화의 원천이며, 변하지도 사라지지도 않는 실재입니다.

따라서 인간의 삶에서도 마찬가지입니다. 우리는 두 세계에 살고 있습니다. 영혼의 눈으로 수천 마일이나 수천 년을 볼 수 있지만, 육신의 발로는 한 걸음 한 걸음 내디딜 수밖에 없습니다.

그 순수한 세계로 올라가는 것은 훨씬 더 영광스러운 삶이 가능하다는 것을 배우기 위해서입니다. 그러나 초월의 시간이 왔을 때 남겨진 눈에 보이는 수고로움을 감당해야 합니다. 왜 그럴까요? 왜냐하면 영혼 앞에는 천국만이 남을 때까지 땅에서 위로 올라가는 이 위대한 이상이 있기 때문입니다.

자신이 어느 높이까지 올라가는지 알고 올라가는 이는 거의 없습니다.

그래서 절망과 피상적인 무신론이 존재하는 것입니다. 그러나 한편으로 우리 안에는 모든 것을 알고 있는 존재가 있으며, 길을 보지 못할 때에도 우리는 안전하게 믿을 수 있습니다.

모든 이상은 더 큰 이상에 녹아들고, 모든 업적은 아직 이루어지지 않은 고귀한 행위 앞에서 희미해질 것입니다. 영혼은 멈출 곳이 없습니다. 영혼은 영원히 움직이면서도 영원한 영과 동일한 친족 관계에 있습니다. 이것이 영혼의 기쁨입니다. 이것이 영혼의 운명입니다.

멀리서나 가까이서나 영은 부드러운 메시지를 속삭입니다. 그것은 마음 깊은 곳에서 사랑의 선물을 끌어냅니다. 부드럽게 듣는 사람은 그 달콤한 선율을 들을 것입니다. 균형 잡힌 사람은 영의 고요함 속에서 걸을 것입니다.

사랑과 지혜, 기쁨, 평화, 아름다움, 이것이 바로 영혼의 교향곡에서 나오는 길고 깊은 하모니입니다.

참고 문헌

Dresser, Julius A. The True History of Mental Science: A Lecture Delivered at the Church of the Divine Unity, Boston, Mass., on Sunday Evening, Feb. 6, 1887. Boston, MA: Alfred Mudge
& Son, 1887. Copyright, 1887 by Julius A. Dresser.

Dresser, Annetta Gertrude. The Philosophy of P. P. Quimby with Selections from His
Manuscripts and a Sketch of His Life. 2nd Ed. Boston, MA: Geo. H. Ellis, 1895.

Dresser, Horatio W. The Immanent God: An Essay. Boston, MA: Horatio W. Dresser, 1895.
Copyright, 1895 by Horatio W. Dresser.

Dresser, Horatio W. The Power of Silence: An Interpretation of Life in Its Relation to Health and Happiness. Boston, MA: Geo. H. Ellis, 1895. Copyright, 1895 by Horatio W. Dresser.

Dresser, Horatio W. The Perfect Whole: An Essay on the Conduct and Meaning of Life. Boston, MA: Geo. H. Ellis, 1896. Copyright, 1896 by Horatio W. Dresser.

Dresser, Horatio W. The Heart of It: A Series of Extracts from The Power of Silence and The Perfect Whole. Boston, MA: Geo. H. Ellis, 1897. Copyright, 1897 by Horatio W. Dresser.

Dresser, Horatio W. In Search of a Soul: A Series of Essays in Interpretation of the Higher Nature of Man. Boston, MA: Geo. H. Ellis, 1898. Copyright, 1897 by Horatio W. Dresser.

Dresser, Horatio W. Voices of Hope and other Messages from the Hills: A Series of Essays on the Problem of Life, Optimism and the Christ. Boston, MA: Geo. H. Ellis, 1898. Copyright,

1898 by Horatio W. Dresser.

Bibliography 93

Dresser, Horatio W. Methods and Problems of Spiritual Healing. New York, NY and London,

GB: G. P. Putnam's Sons, 1899. Copyright, 1899 by Horatio W. Dresser.

Dresser, Horatio W. Voices of Freedom and Studies in the Philosophy of Individuality. New

York, NY and London, GB: G. P. Putnam's Sons, 1899. Copyright, 1899 by Horatio W.

Dresser.

Dresser, Horatio W. Living by the Spirit. New York, NY and London, GB: G. P. Putnam's Sons,

1900. Copyright, 1900 by Horatio Willis Dresser.

Dresser, Horatio W. Education and the Philosophical Ideal. New York, NY and London, GB:

G. P. Putnam's Sons, 1900. Copyright, 1900 by Horatio Willis Dresser.

Dresser, Horatio W. The Power of Silence: An Interpretation of Life in Its Relation to Health and Happiness. New York, NY and London, GB: G. P. Putnam's Sons, 1901. Copyright, 1895 by Horatio W. Dresser.

Dresser, Horatio W. The Christ Ideal: A Study of the Spiritual Teachings of Jesus. New York, NY and London, GB: G. P. Putnam's Sons, 1904. Copyright, May, 1901 by Horatio W. Dresser.

Dresser, Horatio W. A Book of Secrets with Studies in the Art of Self-Control. New York, NY and London, GB: G. P. Putnam's Sons, 1902. Copyright, 1902 by Horatio Willis Dresser.

Dresser, Horatio W. Man and the Divine Order: Essays in the Philosophy of Religion and

in Constructive Idealism. New York, NY and London, GB: G. P. Putnam's Sons, 1903.

Copyright, 1903 by Horatio Willis Dresser.

Dresser, Horatio W. The Power of Silence: A Study of the Values and Ideals of the Inner Life.

2nd ed., rev. ed. New York, NY and London, GB: G. P. Putnam's Sons. Copyright, 1895,

1904 by Horatio W. Dresser.

Dresser, Horatio W. Health and the Inner Life: An Analytical and Historical Study of Spiritual

Healing Theories, with an Account of the Life and Teachings of P. P. Quimby. New York, NY

and London, GB: G. P. Putnam's Sons. Copyright, 1906 by Horatio Willis Dresser.

Dresser, Horatio W. The Greatest Truth and Other Discourses and Interpretations. New York,

NY: Progressive Literature, 1907.

Dresser, Ph. D., Horatio W. The Philosophy of the Spirit: A Study of the Spiritual Nature of Man

and the Presence of God, with a Supplementary Essay on the Logic of Hegel. New York, NY and London, GB: G. P. Putnam's Sons, 1903. Copyright, 1908 by Horatio Willis Dresser.

A Book of Secrets 94

Dresser, Ph. D., Horatio W. A Physician to the Soul. New York, NY and London, GB: G. P.

Putnam's Sons, 1908. Copyright, 1908 by Horatio

Willis Dresser.

Dresser, Ph. D., Horatio W. A Message to the Well
and Other Essays and Letters on the Art

of Health. New York, NY and London, GB: G. P.
Putnam's Sons, 1910. Copyright, 1910 by

Horatio Willis Dresser.

Dresser, Ph. D., Horatio W. Human Efficiency: A
Psychological Study of Modern Problems.

New York, NY and London, GB: G. P. Putnam's Sons,
1912. Copyright, 1912 by Horatio

Willis Dresser.

Dresser, Ph. D., Horatio W. The Religion of the Spirit
in Modern Life. New York, NY and

London, GB: G. P. Putnam's Sons, 1914. Copyright,
1914 by Horatio Willis Dresser.

Dresser, Ph. D., Horatio W. Handbook of the New
Thought. New York, NY and London, GB:

G. P. Putnam's Sons, 1917. Copyright, 1917 by
Horatio W. Dresser.

Dresser, Ph. D., Horatio W. ed. The Spirit of the New

Thought: Essays and Addresses by

Representative Authors and Leaders. New York, NY:
Thomas Y. Crowell Company.

Copyright, 1917 by Thomas Y. Crowell Company.

Dresser, Ph. D., Horatio W. The Victorious Faith:
Moral Ideals in War Time. New York, NY

and London, GB: Harper & Brothers Publishers.
Copyright, 1917 by Harper & Brothers.

Dresser, Ph. D., Horatio W. A History of the New
Thought Movement. New York, NY: Thomas

Y. Crowell Company. Copyright, 1919 by Thomas Y.
Crowell Company.

Dresser, Ph. D., Horatio W. On the Threshold of the
Spiritual World: A Study of Life and Death

Over There. New York, NY: George Sully and
Company. Copyright, 1919 by George Sully

and Company.

Dresser, Ph. D., Horatio W. The Open Vision: A Study
of Phychic Phenomena. New York, NY:

Thomas Y. Crowell Company. Copyright, 1920 by

Thomas Y. Crowell Company.

Dresser, Horatio W. ed. The Quimby Manuscripts: Showing the Discovery of Spiritual

Healing and the Origin of Christian Science. New York, NY: Thomas Y. Crowell Company.

Copyright, 1921 by Thomas Y. Crowell Company.

Dresser, Ph. D., Horatio W. Spiritual Health and Healing. New York, NY: Thomas Y. Crowell

Company. Copyright, 1922 by Thomas Y. Crowell Company.

Dresser, Ph. D., Horatio W. Psychology in Theory and Application. New York, NY: Thomas Y.

Crowell Company. Copyright, 1924 by Thomas Y. Crowell Company.

Bibliography 95

Dresser, Ph. D., Horatio W. Ethics in Theory and Application. New York, NY: Thomas Y.

Crowell Company. Copyright, 1925 by Thomas Y. Crowell Company.

Dresser, Ph. D., Horatio W. A History of Ancient and

Medieval Philosophy. New York, NY:

Thomas Y. Crowell Company. Copyright, 1926 by
Thomas Y. Crowell Company.

Dresser, Ph. D., Horatio W. A History of Modern
Philosophy. New York, NY: Thomas Y.

Crowell Company. Copyright, 1928 by Thomas Y.
Crowell Company.

Dresser, Ph. D., Horatio W. Outlines of the Psychology
of Religion. New York, NY: Thomas Y.

Crowell Company. Copyright, 1929 by Thomas Y.
Crowell Company.

Dresser, Ph. D., Horatio W. A History of Modern
Philosophy. New York, NY: Thomas Y.

Crowell Company. Copyright, 1928 by Thomas Y.
Crowell Company.

Dresser, Ph. D., Horatio W. Knowing and Helping
People: A Study of Personal Problems and Psychological
Techniques. Boston, MA: The Beacon Press, Inc.
Copyright, 1933 by The Beacon Press, Inc.